D1636077

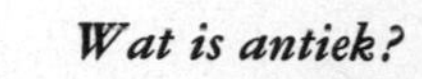

Wat is antiek?

Illustraties: Pieter Pouwels
Omslag: Rein van Looy

De gefotografeerde voorwerpen zijn grotendeels afkomstig van het Fries Museum te Leeuwarden (fotografen Popken en de Vries); voorts van de Dienst voor 's Rijks verspreide kunstvoorwerpen te 's-Gravenhage (fotograaf Karreman), van de kunsthandel, het kunstveilingbedrijf en van particulieren.

Wat is antiek?

door dra. Petra Clarijs

DEEL I

tweede druk

Uitgeversmaatschappij C. A. J. van Dishoeck, Bussum, 1959

Wat is antiek?

Moet deze vraag eigenlijk nog worden gesteld?

Iedereen weet het toch wel!

Antiek noemen we dat wat héél oud is, zo oud, dat het de bezwaren van de ouderdom heeft overwonnen. Wat oud is verflenst, wordt lelijk en waardeloos; maar heeft het zijn ouderdom overleefd, dan raakt het overtogen met een glans van eerbiedwaardigheid, het wordt zeldzaam, kostbaar en van een geheimzinnige aantrekkelijkheid, het wordt antiek.

Zo is een stoel een gebruiksvoorwerp waarop we zitten en gaan staan als het te pas komt, die we tot brandhout verhakken als de nood dringt, en wanneer hij te oud is geven we hem mee aan de voddenman. Maar een héél oude stoel is een sierstuk, waarop we zitten, natuurlijk, daar is het voor gemaakt; maar denk er om, voorzichtig, en alsjeblieft, dáár niet op staan; en al zouden we ook nog zo te lijden hebben van de kou, dat nooit, die stoel is al zo lang in de familie, die doen we niet weg, neen, verkopen ook niet, ofschoon er laatst veel geld voor geboden is, en wie weet wordt hij nog meer waard. hij is antiek.

Natuurlijk is er ook onder het moderne veel dat mooi is en kostbaar en waarvan we geen afstand willen doen. En onder het antiek zijn wel eens dingen die we in ons hart foeilelijk vinden. Maar dan kunnen we ons toch niet onttrekken aan gevoelens van diepe verering om hun eerbiedwaardigheid, van nooit bevredigde nieuwsgierigheid naar hun geheimzinnig verleden, en soms, van gehechtheid aan het familiebezit. En het doet er weinig toe of deze gevoelens worden opgewekt door grootmoeders broche, het pijpenrekje van oudoom Karel, de Chinese kom gevonden in een rommelwinkel, de kussenkast „uit de familie", de dekenkist weggekocht van een boerendeel, de tinnen inktkoker van wie-weet-wanneer, een stuk Italiaanse majolica, een lapje Genuees fluweel, een Romeinse munt, een Griekse vaas, een Egyptische scarabee, — iets van tien eeuwen voor of achttien eeuwen na Christus' geboorte.

Maar, hiermee is niet meer gegeven dan een algemeen begrip, dat vaag blijft en waarmee men niet kan volstaan als het er in concrete gevallen om gaat een voorwerp te plaatsen in een tijdvak van achtentwintig eeuwen, het te determineren, te dateren, te taxeren. Vage noties zijn onduldbaar voor de vakman, en kunnen de leek teleurstelling en ongerief bereiden.

Zo bij voorbeeld in een niet op zichzelf staand geval als dit: Een dame had een allerliefst klein schrijftafeltje, niet modern maar een familiestuk. Het moest stellig honderdvijftig jaar oud zijn, vertelde ze altijd vol trots aan ieder die het bewonderde, en niemand sprak dit tegen. Totdat er een deskundige aan te pas kwam, die onmiddellijk zag, dat hiervan geen sprake kon zijn. Maar hij wilde de eigenares niet op een botte manier haar illusie ontnemen, door te zeggen: wel nee, mevrouw, denkt u dat maar niet. Hij vroeg haar alleen, hoe ze aan deze datering kwam.

— Wel, ik heb het van mijn moeder, en die had het weer van haar moeder.

— U hebt het van uw moeder. Goed. Uzelf bent nu, in 1958, laten wij zeggen niet meer piepjong, maar toch ook niet stokoud, integendeel, helemaal niet oud, laten we zeggen ongeveer dertig jaar. U bent dus geboren omstreeks 1928. Toen was uw moeder misschien ook niet meer zo piepjong, maar toch ook nog niet oud, dertig misschien, zodat zij geboren is in de vorige eeuw, laat ons aannemen in 1898, in de tijd dat de Toulouse Lautrec en Cézanne schilderden, Shaw en Herman Heijermans hun stukken schreven. Uw grootmoeder was toen misschien niet meer piepjong, maar toch ook niet zo héél oud, dertig op zijn hoogst. Als ze voor haar tijd een heel moderne vrouw was, fietste ze misschien en heeft ze reformjaponnen gedragen. Zij zal niet veel eerder geboren zijn dan in 1868, drie jaar voor Henriëtte Roland Holst en toen Vincent van Gogh een kind van elf jaar was. Nu kunnen we slecht veronderstellen, dat uw grootmoeder dit bureautje al bij haar geboorte heeft gekregen en als klein kind evenmin, maar misschien op haar achttiende. Dat is dus omstreeks 1887.

— Maar, merkte de bezitster terecht op, het behoeft toen toch niet nieuw geweest te zijn?

— Dat niet. Maar weet u verder iets van de herkomst van

dit meubeltje af? Niet? Dan moet de stijl ervan het verder zelf bewijzen.

— O maar van stijlen heb ik geen verstand!

— Neemt u dan van mij aan, dat dit bureautje niet eerder ontstaan is dan omstreeks 1880.

— Dus.... het is niet antiek?!

— Nog niet. Dan zou het minstens honderd jaar oud moeten zijn. Voor uw dochter zal het dat dus wel wezen.

— Dat is een troost. Overigens is dit wel een desillusie voor me.

— Ofschoon, toegegeven, ik had na moeten denken; en verder.... — Ze haalde de schouders op.

Zo kan de enigszins romantische verering voor hetgeen uit het verleden stamt de nuchtere feiten over het hoofd doen zien. En kan gemis aan kennis van zaken leiden tot verkeerde conclusies. Tegen het eerste kunnen we ons wapenen; het tweede is moeilijker te verhelpen. Voor ieder — vakmensen daargelaten, — komt wel eens een ogenblik, waarop men beseft niet genoeg te hebben aan vage noties, aan overgeleverde verhalen, het ogenblik waarop men zich vol twijfel afvraagt: is het antiek? wat is antiek? Wie vooral voor dit probleem worden gesteld zijn degenen die zich iets willen verwerven.

Dezelfde bezitster van het schrijfbureautje wilde bij de koperen bruiloft van haar vriendin met een apart geschenk voor de dag komen: een antieke koperen kandelaar. Maar toen ze bij de antiquair in de winkel stond werd het haar vreemd te moede. Niet dat ze niet prettig te woord werd gestaan, integendeel; niet dat er geen keus was, neen er was keus genoeg, te veel eigenlijk, van grote en kleine, eenvoudige en elegante; er waren er die als gloednieuw glansden, maar ook die dofbruin zagen of groen uitgeslagen. Ze waren allen verschillend van vorm, en, naar ze veronderstelde, ook van ouderdom. Maar hoe oud dan wel? En waarom was een kleine, onaanzienlijke, vijf keer zo duur als een kloeke, fraai blinkende? Waar was nu haar beslistheid, die ze anders bij het doen van inkopen toonde? En plotseling besefte zij, dat haar gevoel van onzekerheid voortkwam uit eigen onwetendheid. In het modemagazijn kon ze zien of een japon goed zit, hoe de kwaliteit is van de stof. In de levensmiddelenzaak wist ze de prijzen van de diverse artikelen; bij de bloemist sprak het vanzelf dat een grote plant meer kost dan een kleine. Maar hier golden andere regels, waarvan zij niet de minste notie had, en wat de antiquair vertelde begreep ze maar half. Een beetje onthutst verliet ze de winkel weer, met de belofte spoedig terug te zullen komen. Ze kon dit doen, omdat ze wist, dat de haar bevriende deskundige zeker met haar mee zou willen gaan voor het geven van advies. Maar lang niet ieder is zo gelukkig een raadsman onder zijn vrienden te hebben. Wat dan gedaan? Dikke boeken doorworstelen? Van museum naar museum trekken? Wie heeft daar tijd en gelegenheid voor? Bovendien — ligt dat niet meer op het terrein van de vakgeleerden?

We krijgen tegenwoordig via pers en radio goede raad in allerlei; inzake levensproblemen, moeilijkheden bij de opvoeding en op medisch gebied; wekelijks zijn er tips voor de huishouding, voor het winkelen, adviezen op het terrein van de mode, van huid- en lichaamsverzorging; we krijgen kookrecepten en menu's; men vertelt ons wat goede manieren zijn en wat niet, en hoe we de tuin moeten onderhouden en waarheen we met vacantie moeten gaan. Maar nergens wordt ons gezegd waarop wij moeten letten bij de aanschaf van antiek, nergens worden wij iets gewaar over de mogelijkheden op dit gebied; antiek in ons interieur schijnt niet te bestaan. Toegegeven, het terrein is moeilijk en de vragen die kunnen rijzen zijn zo talrijk, dat het nooit doenlijk zal zijn ze allen te beantwoorden. Moet men daarom verstoken blijven van elk advies? Stellig niet. De vriend en raadsman, die ieder in deze op een zeker ogenblik nodig heeft, hier is hij.

Kent u uw stijlen?

Hierop zullen de meeste lezers antwoorden met de wedervraag: is dit nodig? Om iets mooi te vinden, niet. Om met enige benadering de ouderdom van een voorwerp te bepalen, wel. Vindt u het niet altijd verrassend hoe sommigen met één oogopslag een voorwerp weten te plaatsen in de tijd: dit is uit de 17e, uit de 18e, uit de 15e eeuw, zeggen ze zonder aarzeling. Maar onbegrijpelijk lijkt het, wanneer men ze hoort beweren: dit is zeker niet ouder dan 1625, dat dateert uit de jaren 1710—'15, later dan 1490 kan het beslist niet zijn. Natuurlijk vragen wij dan dadelijk: hoe ziet u dat? En dan is het antwoord: aan de stijl. Soms ook nog aan andere dingen, maar altijd aan de stijl. Nu is het voor iedereen niet direkt nodig om elk voorwerp nauwkeurig op 5 à 10 jaar te kunnen dateren. Maar men dient toch wel te kunnen zien uit welke eeuw het stamt. Dit is moeilijk te leren, denkt u, en eist veel studie? Nu dat valt wel mee, mits u zich de tijd gunt om rond te zien en zo nodig de moed hebt om vragen te stellen. Kijken en nog eens kijken èn vergelijken is het voornaamste. Waar u dit kunt doen? In de eerste plaats in de musea. Want daar bevinden zich de beste en meest stijlzuivere specimina van sier- en gebruiksvoorwerpen uit vroeger eeuwen. Het meest profijtelijk is een niet te lang maar vaak herhaald bezoek, waarbij men enkele voorwerpen eerst aandachtig beziet en daarna de bijschriften raadpleegt of, nog beter, de catalogus. Zo'n gang naar een museum kost wel wat extra tijd, maar uw moeite zal rijkelijk worden beloond. Mocht er zich in uw woonplaats geen museum bevinden, dan is er misschien wel een niet al te ver uit de buurt. Is dit ook niet het geval, dan is het zaak maar eens goed rond te zien in eigen omgeving. Ons land is rijk aan historische schoonheid; haast elke stad en ook vele dorpen hebben gebouwen waaraan oude stijlornamenten niet ontbreken. Het is raadzaam om, door de straten van oude wijken lopend, zo veel mogelijk naar de toppen van de huizen te kijken, aangezien de onderpuien meestal zijn gemoderniseerd. Wie waakzaam is ontdekt verder ook veel aan deuren en bovenlichten, aan hekken en leuningen, stoeppalen, pompen, baarden van molens, aan betimmeringen van oude winkels, aan interieurs van oude stadhuizen en andere openbare gebouwen, en natuurlijk aan oude kerken en hun meubilair. Hoe meer men gaat opletten, des te meer men ontdekt. En wie het geziene niet thuis kan brengen, moet vooral niet aarzelen hierover navraag te doen zonder valse schaamte. Degene die u zo feilloos het juiste antwoord weet te geven, heeft zijn kennis ook eens moeten verwerven. Verder is platen kijken ook een uitstekende en tevens aangename bezigheid. Nooit werd er zulk prachtig fotowerk gemaakt als in onze tijd. Het voordeel van plaatwerken is, dat ze lang en herhaaldelijk kunnen worden bekeken en dat men de verklarende tekst meteen bij de hand heeft; het nadeel, dat ze ons niet in contact brengen met de dingen zelf. Als hulpmiddel zijn ze echter onovertroffen. Er bestaan ook boeken over stijl- en ornamentleer. Die zijn nuttig om op te slaan als men iets wil nazoeken. Al met al is stijlenstudie een heel boeiende en allerminst vervelende bezigheid. Want de stijl van een tijd brengt ons in aanraking met het leven van die tijd. Stijl is expressie en manifesteert zich in alles wat door mensen wordt verricht en gemaakt: in muziek, dans, beeldende kunsten en literatuur — maar ook in houding en gebaar, in kleding, in spraak, in handschrift. Met de wijzigingen, die de menselijke denk- en voelwijze in de eeuwen ondergaan, gaat een verandering in manier van uitdrukken gepaard. Zodat, met een variant op het gezegde „andere tijden, andere zeden," kan worden beweerd „andere tijden, andere stijlen." Behalve variatie naar tijd is er variatie naar land en streek. Een internationaal stijlverschijnsel neemt toch in verschillende landen een apart cachet aan. De boeken over stijlleer behandelen dan ook terecht eerst de algemene kenmerken van een stijl en daarna de nationale b.v. de renaissance in het algemeen en dan in Italië, in Frankrijk, de Nederlanden, Duitsland enz. Het is natuurlijk bijzonder prettig als men alle nationale kenmerken kan onderscheiden, maar direkt nodig is dit nu ook weer niet. Wat u in ons land aan antiek te koop vindt, is hoofdzakelijk van Nederlandse herkomst. Het is evenmin noodzakelijk om met de stijlenstudie te beginnen in de verre oudheid. We willen ons bepalen tot die perioden, waaruit in de Nederlandse kunsthandel voornamelijk voorwerpen worden aangetroffen. Op enkele uitzonderingen na gaan die niet verder terug dan tot de late gothiek. Haast alles wat de middeleeuwen voordien hebben voortgebracht is, als zijnde van grote zeldzaamheid en waarde, in de meeste musea terechtgekomen.

Gothiek

De gothische stijl, die heeft geduurd van ± 1200 tot ± 1500, en in die drie eeuwen natuurlijk geëvolueerd is, heeft in ons land een late bloei gekend. Bij het woord gothiek denken we dadelijk aan de Franse kathedralen. Maar ook Nederland heeft een respectabel aantal gothische kerken, waarvan de meeste dateren uit de 14e en 15e eeuw. Ook de niet-kerkelijke bouwkunst, de sier- en gebruiksvoorwerpen werden gemaakt in gothische stijl. Wat men hiervan bij ons nog aantreft dateert overwegend uit de 15e, soms zelfs nog uit de 16e eeuw.

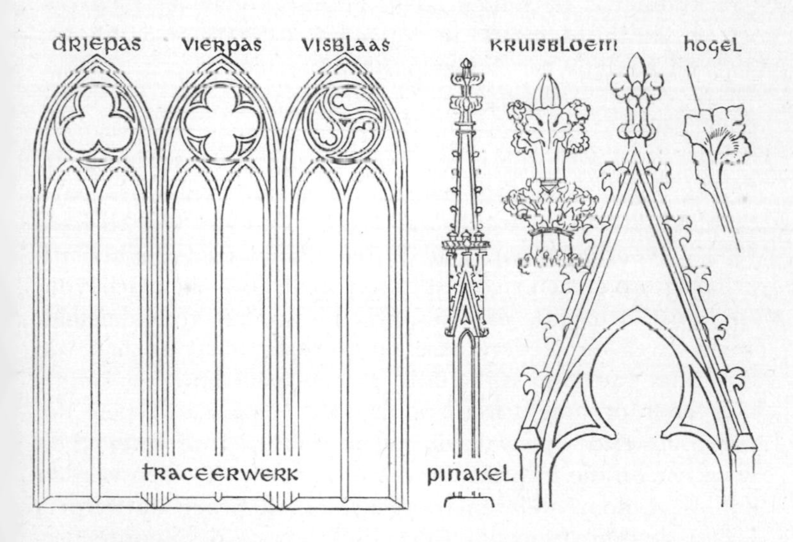

Het algemene kenmerk van de late gothiek is: een neiging tot hoge, slanke vormen, een domineren van de vertikale lijn. De meest voorkomende versieringsmotieven zijn:

traceerwerk – een netwerk van slanke spijlen eindigend in een spitse boog, waarin allerlei patronen voorkomen, zoals de drie- of vierpas, de visblaas.
Als bekroningsmotieven ziet men:
pinakels, spitse sierkolommetjes; knopachtige bladeren of hogels en kruisbloemen.

Al deze motieven komen niet alleen aan de architectuur maar ook op meubels, metaal- en borduurwerk voor. Speciaal op hout treft men aan briefpanelen, zo genoemd omdat het ornament er uitziet als een in de lengte gevouwen en dan weer uitgerolde perkamenten brief. Het kan voorkomen dat u een gedateerd voorwerp zult aantreffen met een jaartal veel later dan 1500 en dat toch gothische stijlkenmerken draagt. Het is n.l. niet zo, dat een stijl in een bepaald jaar ophoudt te bestaan en er dan plotseling iets nieuws begint. Er zijn overgangen en aarzelingen; er zijn gebieden waarin de nieuwe stromingen niet zo snel doordringen, en Nederland was daar één van. De renaissance, b.v. die in Italië al omstreeks 1400 is begonnen en in Frankrijk vlak na 1500 verscheen, kwam hier eerst in de loop van de 16e eeuw binnen om nog na 1600 een hoogtepunt te bereiken.

Renaissance

De renaissance-stijl is voor ons land van bijzonder groot belang, omdat die voor een deel nog valt in de 17e eeuw, de bloeitijd van onze cultuur, toen er bijzonder veel en fraai werk is voortgebracht. Dat de renaissance o.a. een her-ontdekking van en een zich inspireren op de klassieke beschaving en kunst betekent, mag als bekend worden verondersteld. Voor zover de Nederlandse kunstenaars zelf niet naar de bakermat van deze stijl, Italië, gingen maakten zij er kennis mee door ornamentprenten. Er waren ook ontwerpers die voortbouwend op wat zij zagen, zelf nieuwe ontwerpen maakten, en die in prent brachten. Deze voorbeelden werden dan weer door anderen overgenomen. Bekende ontwerpers waren de Antwerpenaar Cornelis Floris en de Noordnederlander Hans Vredeman de Vries, die in verschillende steden verbleef.

Wat zijn nu de voornaamste karakteristieken aan de renaissancestijl. Accentueren van de horizontale lijn. Wat door zijn vorm noodzakelijkerwijs vertikaal is, zoals gevels, hoge kasten, wordt door horizontale lijsten of banden (friezen) a.h.w. in verdiepingen verdeeld. Dit is goed te zien aan de renaissance-gevels waaraan veel van onze steden nog rijk zijn. Het vertikale element wordt vooral vertegenwoordigd door de zuil.

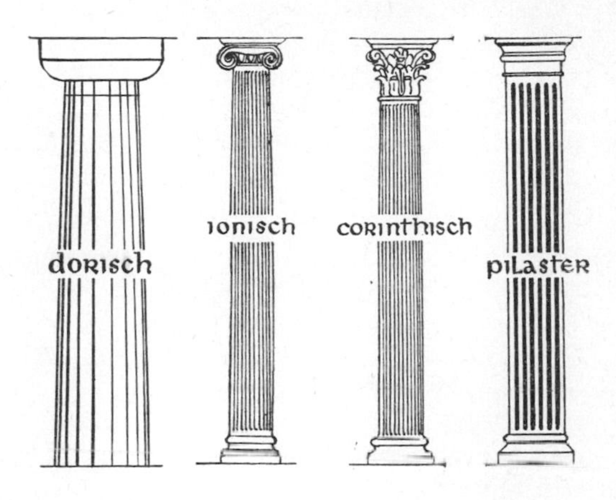

Er zijn drie hoofdtypen, ontleend aan de Grieken: dorisch, ionisch en corinthisch; het eerste heeft geen voetstuk en een onversierde bekroning of kapiteel; de beide andere rusten wel op een voet; de kapitelen bestaan voor de ionische uit twee voluten (krullen) gecombineerd met een eierlijst (rand met eivormige motieven), voor de corintische uit acanthusbladen (grote, soepele sterk ingesneden bladen) met kleine voluutjes. De groeven die over de zuilschacht lopen heten cannelures. De drie genoemde zuilordes zijn echter de grondtypen, waarop veel variaties worden toegepast. Een zuil is een dragend onderdeel van de architectuur. Op het kapiteel rust een afdekking of hoofdgestel: eerst een balk of architraaf, dan een vlak gedeelte, fries geheten, en tenslotte een overkragende kroonlijst. De fries is het versierende deel waarop schilder- of beeldhouwwerk is aangebracht. Dit alles vindt niet alleen in de architectuur maar ook aan meubels, betimmeringen e.d. heel veel toepassing.

Vrijstaande zuilen ziet men in de Nederlandse renaissance

minder vaak dan halfzuilen, in de lengte doorgesneden en tegen een muurvlak geplaatst; nog vaker treft men pilasters aan, a.h.w. tegen het wandvlak platgedrukte en rechthoekig geworden zuilen.

Er is grote ornamentenrijkdom. Het acanthusblad vindt overal toepassing; vaak is het omgebogen tot een voluut. Het vormt een belangrijk onderdeel van het gekrulde rankwerk dat arabeske wordt genoemd. Gecombineerd met arabesken is soms bandwerk, ook rolwerk geheten. Dit ornament is waarschijnlijk ontleend aan lederwerk; het toont in allerlei figuren gelegde banden, waarop hier en daar noppen (oorspronkelijk koppen van spijkers waarmee het leer werd vastgezet); de uiteinden van de banden krullen om. Tussen de banden komen wel allerlei fantastische figuurtjes voor, mensen- en dierengestalten, die er a.h.w. in gevangen zitten. Een soortgelijk rolwerkornament dient ook als omlijsting van schildjes of cartouches, die een opschrift, wapens of voorstelling dragen. Andere, veel gebruikte ornamenten zijn: de schelp, veelal als boogvulling; de cherub, een gevleugeld engelkopje; het mascaron of masker; de guirlande; de pendeloque of druiper; knorren, langwerpig-ovale of visblaasachtige reliëfs. Langs richels lopen dikwijls tand-, parel- en eierlijsten al of niet gecombineerd.

In de 16e, niet in de 17e eeuw, komt de groteske voor.

Oorspronkelijk was dit ornament een wandschildering in Romeinse huizen; toen die werden opgegraven noemde men ze grotten, vandaar de naam groteske. Ze bestaan uit fantastische mens-, dier- en bladvormen onderling door een vertikale, dunne draad verbonden.

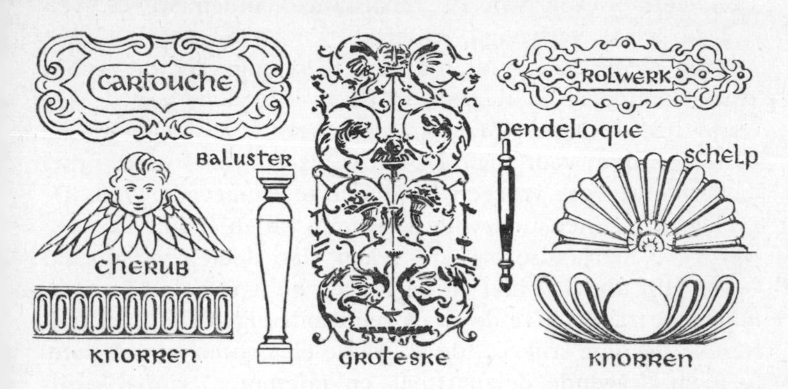

Bekroningsornamenten zijn: vazen, knoppen, bollen en obelisken. Een dragend onderdeel is de baluster, een vaasvormig zuiltje, dienend als spijlen van trappen, van balkonleuningen, van hekwerk, en als poten van meubels.

Dit alles is maar een klein gedeelte van de rijke ornamentenschat der renaissance. Wat de toepassing betreft: elk onderdeel van een voorwerp heeft zijn eigen ornament dat zich niet over het geheel voortzet, b.v. bij een zilveren schaal op voet zal het ornament van de schaal niet doorlopen over de voet.

Barok

Het tegendeel is juist het geval bij de barok. Dit is misschien het duidelijkst te zien in de architectuur. Een renaissance-gevel wordt door horizontale lijsten onderverdeeld in verdiepingen, en elke verdieping heeft zijn eigen zuil- of pilasterornamenten; bij een barokke gevel is die indeling er niet en lopen zuilen of pilasters van beneden tot boven in één stuk door. Bij de renaissancegevel past het woord onderverdeling, bij de barokke past de term samenvatting. Het kenmerkende van de barok is de grote lijn, het monumentale. Veel siermotieven van de renaissance vinden we er, verzwaard, a.h.w. verhevigd, in terug.

Voor Nederland geldt, dat tot 1640 ongeveer de renaissance domineert en daarna, in de tweede helft van de 17e eeuw dus, de barok. Maar in zilverwerk b.v. vinden we de barokke stijl al voor 1640. De barok als Europees verschijnsel dateert van veel vroeger en duurt tot ongeveer 1750. De Lodewijk XIV- en Lodewijk XV-stijlen vallen er in. Wanneer we van Nederlandse barok spreken, dan doelen we globaal op de stijl die zich hier in de tweede helft van de 17e eeuw manifesteert. Behalve de reeds genoemde eigenschappen treffen we bij deze stijl o.a. de volgende elementen aan: kolommen en dragende delen (stoel- en tafelpoten) zijn dikwijls geslingerd (als een kurketrekker). Versieringsmotieven zijn vooral guirlandes en festoenen (aan één uiteinde bevestigde, dus recht neerhangende guirlandes) in krachtig reliëf, van bloemen, vruchten, schelpen of allerlei voorwerpen. Specifiek Nederlands is het kwabornament. Het komt voort uit het rolwerk, maar het is plastischer en, als men wil, enigszins amorf. Vloeiende weekdierachtige of schelpachtige vormen, overgaande in koppen van vissen of monsters, in niet goed te definiëren gestalten. Het komt voor in hout, steen en metaal, in reliëf en gegraveerd.

Lodewijk-XIV

In de jaren 1670—'80 wordt hier de stijlinvloed overheersend van het land, dat toen in geheel Europa de toon aangaf: Frankrijk. Daar regeerde een vorst, die letterlijk alleenheerser was, Lodewijk XIV. Zowel in staatkundig en economisch gebied legde hij zijn wil op, en in dat der kunsten eveneens. Niet doordat hij zelf scheppend kunstenaar beweerde te zijn, maar doordat hij de centrale figuur was, en alles wat onder de handen der kunstenaars ontstond werd geschapen ter meerdere glorie van hun vorst. Zo ontstaat de style Louis-XIV, een paleisstijl, statig en rijk, representatief en monumentaal, indrukwekkend en verblindend. Maar niet onpassend om, in wat gematigde vorm, als kader te dienen voor de rijke burgers van een kleine republiek. Het was de Franse architect, decorateur en graveur Daniel Marot, naar hier uitgeweken bij de opheffing van het edict van Nantes (1685), die veel heeft bijgedragen tot de verbreiding van de Louis-XIV stijl in Nederland.

Het Louis-XIV kenmerkt zich door strenge symmetrie. De meest voorkomende ornamenten zijn: C- en vooral G-vormige krullen, steeds in elkaars spiegelbeeld, zodat een symmetrisch geheel ontstaat. De uiteinden van de voluten staan tegen elkaar aan of tegen een waaiervormig ornament, dat op een schelp of op een blad lijkt. Over de krullen heen liggen soms acanthusbladen, die in deze stijl een grote rol spelen. Dikwijls zijn ze tot ranken gewonden. Verder ziet men vaak de lambrequin, een geschulpte rand, als een stofstrook, soms zelfs met kwastjes; dit ornament is dan ook aan de textiel ontleend. Dan kelk- en klokbloempjes zich steeds verklein herhalend in een reeks. En als vulwerk een ruitvormig traliemotief bezet met kleine bloemvormige rozetjes. Bekroningsornamenten zijn: een kuif van één of meer aan de top omkrullende acanthusbladen, een waaiervormig schelpmotief, een vaas, een urn waaruit een vlam slaat.

De Lodewijk-XIV stijl heeft zich in ons land tot diep in de 18e eeuw gehandhaafd.

Lodewijk-XV

Gedurende de 18e eeuw blijven de Franse hofstijlen hier hun invloed doen gelden. Het Louis-XV was niet zoals het Louis-XIV een paleisstijl, geschapen voor een monarch, maar een salonstijl voor de aristocratie. Het ontstond als reactie op de ceremoniële pracht en praal aan het hof van de Zonnekoning en uit behoefte aan intimiteit, comfort en huiselijkheid. Deze stijl is dan ook lichter, luchtiger en speelser. Het hoofdkenmerk is: asymmetrie en zoveel mogelijk breken met de rechte lijn, dus golvende contouren en vlakken. Het voornaamste ornament is de rocaille, grillige schelp- of rotsachtige motieven (rocaille is afgeleid van roc, rots); ze verlopen asymmetrisch en zijn soms geajoureerd met langwerpig ovale openingen. Ze komen voor in combinatie met lange S-vormige krullen, bloemen, schildjes, maskers, enz.

De Nederlandse rococo is minder fijn en elegant dan de Franse, en werd hier niet bijzonder veel toegepast. Het lijkt wel of onze volksaard een beetje huiverig was voor de speelsheid en durf, die deze stijl ten toon spreidt. Durf, want het was voor de eerste maal dat het ornament heeft gebroken met de symmetrie. Heel lang heeft deze stijl het in Frankrijk zelf trouwens niet uitgehouden, een dertig jaar, van ± 1723 tot ± 1750. De regeringsperiode van Lodewijk XV is dan nog niet voorbij; die duurt tot 1774. Eigenlijk is de naam van deze koning op de stijl minder goed van toepassing, omdat hij geen invloed erop heeft uitgeoefend. Ditzelfde geldt voor zijn opvolger.

Lodewijk-XVI

De Louis-XVI stijl, die in ons land pas tegen 1775 doordrong, duurt van omstreeks 1750 tot 1790, en beslaat dus een deel van de regeringsperiode van Lodewijk XV en die van Lodewijk XVI. Het hoofdkenmerk is: terugkeer tot de strakke lijn, het rechte vlak en de symmetrie; voorkeur voor het ovaal; verder een zeer grote verfijning en élégance, groter nog dan die van de rococo. In zekere zin sluit het Louis-XVI weer aan bij de renaissance; althans de motieven van de Oudheid komen weer in zwang, hetgeen door de opgravingen in Pompei en Herculaneum werd gestimuleerd. Zo zijn er: gecanneleerde zuiltjes, parelranden, meanders of vlechtbanden, rozetten, door linten omwonden, laurier- en eikenbladbundels en staven, nabootsingen van munten en cameeën, het zgn. schubornament (een snoer aaneengeregen munten), acanthusbladen, ramskoppen, urnen.

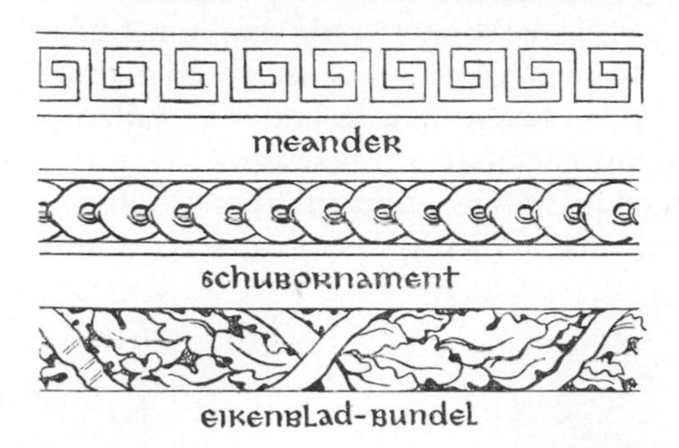

Verder zijn er aan de natuur ontleende motieven: heel veel bloemen tot ranken of guirlandes geschikt. Motieven ontleend aan de textiel ook: tot guirlandes geplooide draperieën, linten en strikken. Hieraan hangt soms een medaillon of een tros van allerlei voorwerpen, attributen genaamd, omdat ze een symbolische betekenis hebben b.v. tuingereedschap gecombineerd met bijenkorven en mandjes, duidend op de geneugten van het landleven waarmee men deze tijd begint te dwepen. Of liefdessymbolen zoals met een pijl doorboorde harten, brandende fakkels, trekkebekkende duifjes. Het kunnen ook muziekinstrumenten zijn, wapens, scheepsvaartkundige instrumenten, als het symbool maar te herkennen valt.

De Nederlanders hebben het Lodewijk-XVI wel geapprecieerd en deze stijl wordt vrij veel in ons land aangetroffen.

Empire

Dan volgt, alweer Frans van herkomst en benaming, de Empire, de stijl van het keizerrijk of napoleontisch tijdvak. Veel sterker doet zich hierin de invloed gelden van de romeinse Oudheid. De nieuwe tijd, die na de Franse revolutie is aangebroken, wordt er niet één van radicale stijlvernieuwing. De Romeinen boden bovendien vele voorbeelden van heldendom, vaderlandsliefde en stoïcijnse deugd, waarnaar men zich in deze jaren graag richtte. Zo werden zedelijk ideaal en vormenideaal vereenzelvigd.

De Empire kenmerkt zich door zware, massieve vormen en onverbiddelijke rechtlijnigheid. De stijl van de salon is meer geëvolueerd tot die van het paleis. Het ornament inspireert zich bij voorkeur op de monumentale Romeinse kunst. Vaak komen voor: de palmet (een palmachtig bladmotief), fakkels, lieren, lauwerkransen, pijlenbundels, gevleugelde vrouwengestalten, zegewagens, chimèren (fantastische gevleugelde wezens), hermen (borstbeelden of koppen op een hoge, smalle voet, die naar onderen nauwer wordt).

De veldtocht, door Napoleon naar Egypte ondernomen, bracht motieven uit dit land in zwang, vooral sfinxen. En dan is er natuurlijk de leeuw, het koninklijk-krachtige dier, en de klassieke dolfijn en ook de zwaan, van ongeweten herkomst, die met zijn sierlijk gebogen hals enige ontspanning brengt in alle strakke rechtlijnigheid. Tenslotte moeten nog ster-motieven worden genoemd.

Biedermeier

Met de val van Napoleon in 1815 is het met de Empire-stijl natuurlijk niet plotseling gedaan. Maar er valt toch spoedig een kentering waar te nemen, die hierin bestaat, dat de strakke lijnen soepeler worden; er komt weer plaats voor een curve hier, een krulletje daar. De classicistische siermotieven verdwijnen. De Empire versobert en wordt huiselijker in een tijd, waarin de maatschappij wordt doortrokken van een geest van burgerlijkheid. Het wordt de tijd van de brave burgerman, die geen vorstelijke of heroïsche allures heeft en evenmin de brillante geest of hoofse manieren van de 18e eeuwse salonmens. Hij is dan ook niet in staat tot het scheppen van een monumentale of van een verfijnde stijl, maar wel weet hij zich te omringen met een sfeer van gezelligheid. Dit is de Biedermeiertijd. Het woord is van Duitse oorsprong; bieder betekent braaf, en Meier is een door en door verbreide familienaam. Men duidde er oorspronkelijk meer het tijdperk dan de stijl mee aan: dat van 1815 tot 1850. Daarin vinden we het vereenvoudigd Empire, dat na omstreeks 1835 romantischer wordt in die zin, dat grotere vormenspeelsheid en ornamentenrijkdom optreden, waarbij ontlening aan vroegere stijlperioden valt waar te nemen. Eerst, onder de invloed van de romantiek, worden allerlei gothische versieringsvormen toegepast, en al spoedig ook andere. Dit late Biedermeier noemt men wel Louis Philippe, naar de Franse koning die van 1830—'48 regeerde.

Neostijlen

De stijlimitatie, in de Biedermeier begonnen, zet na 1850 eerst goed door en duurt tot ongeveer 1900. Gothiek, maar vooral de Franse koningsstijlen, de Empire (veel tijdens Napoleon III), de renaissance (het meest in het laatste kwart van de 19e eeuw), alles wordt gecopieerd of vrij geïnterpreteerd. In het laatste geval begeeft men zich in overdrijvingen, zodat grillige, soms haast wilde vormen ontstaan, waarop ornamenten kwistig en op niet altijd even logische wijze zijn toegepast: soms vertoont een voorwerp versieringsmotieven ontleend aan diverse stijlperioden. Verder is er een grote voorkeur voor florale ornamenten, rozen vooral. Er valt geen duidelijke chronologische volgorde vast te stellen in de toepassing van de verschillende stijlimitaties. Daardoor is het vaak niet mogelijk de voortbrengselen uit de tweede helft van de 19e eeuw secuur te dateren. Het is evenmin mogelijk om ze te determineren als behorende tot een bepaalde stijl. Meestal spreken we van stijl Willem III of van Victoriaans (waarin dan het Louis Philippe valt), maar dit heeft meer betrekking op het tijdvak van herkomst. Copieën worden betiteld als neo (nieuw): neo-gothiek, neo-renaissance, neo-Louis-XV, enz.

En nu de moeilijkheid. Wanneer u bepaalde stijlelementen herkent, wil dit nog niet altijd zeggen dat ze thuis horen in hun tijd van oorsprong. Het is mogelijk dat u te doen hebt met een maaksel van neo-stijl, dat in de 19e eeuw ontstaan is. Het is soms niet altijd even gemakkelijk om het onderscheid vast te stellen. Wie zich pas enig inzicht heeft verworven in het determineren van stijlen slaagt er soms niet in. Maar wie door veel zien al wat geroutineerder is geworden onderscheidt het 19e-eeuwse goed vrij vlot, ook doordat men langzamerhand behalve op ornament en vorm gaat letten op maaksel, materiaal, kleur e.d.

Rest de vraag wat wel en wat niet tot het antiek moet worden gerekend. Er bestaat geen preciese norm voor de ouderdom waaraan een stuk moet voldoen om het predicaat antiek te verwerven. Maar in het algemeen geldt hiervoor toch wel de termijn van honderd à honderdvijftig jaar. Nog slechts enkele tientallen jaren geleden werd niets van wat na de Empire komt als antiek beschouwd. Maar naarmate de tijd voortschrijdt ontstaat er een verschuiving, en tegenwoordig geldt het Biedermeier als antiek, al wordt het nog niet bij alle antiquairs aangetroffen. Er is hier en daar zelfs al de neiging merkbaar om de voortbrengselen uit de Willem III-tijd antiek te noemen. Het jaar 1850 ligt inderdaad heel ver achter ons, maar 1890 niet: nauwelijks een mensenleeftijd. Gaat men 1860 of 1870 als grens stellen, dan betekent dit een willekeurige indeling maken in het tijdvak der neo-stijlen. Het is niet onlogisch en verantwoord om de grens tussen antiek en niet antiek te stellen op omstreeks 1850. Op het ogenblik althans. In, laat ons zeggen 1970, zal men er waarschijnlijk weer anders over denken.

Maar, zult u zeggen, moet dan alles uit de tweede helft van de vorige eeuw worden genegeerd? Zeer zeker niet. Waarom zouden wij deze dingen niet kopen als we ze aardig vinden? Goed, ze zijn dan nog wel niet echt antiek, maar toch oud. Een enkele keer ook wel eens ouderwets. Het laatste woord houdt geen diskwalificatie in. Wel als het om kleren gaat, want dan bedoelen wij: wij willen die rommel niet langer dragen. Maar als het voorwerpen betreft spreken we al gauw van „gezellig ouderwets" en dat betekent dan: ze zijn uit een tijd, die knusser was dan de onze.

Het ligt dan ook niet in de bedoeling om bij de volgende bespreking de periode na 1850 uit te schakelen. Er bestaat veel uit de tijd van onze groot- en overgrootouders dat de moeite waard is, en dat bovendien met geringe kosten verworven kan worden.

En nu, voor u verder leest, zo mogelijk eerst enige malen naar een museum!

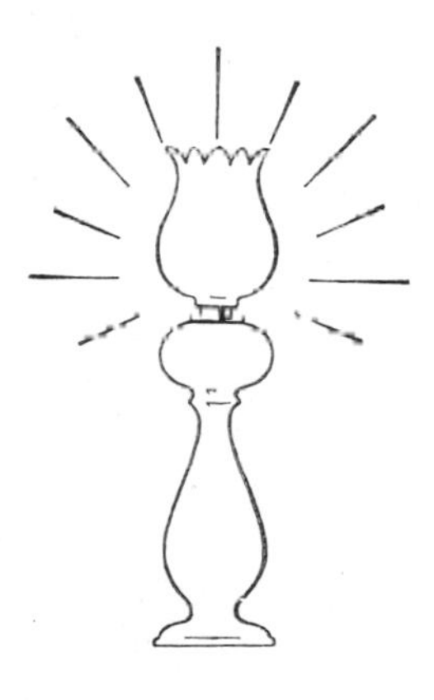

Meubels

Terwijl in veel families nog wel wat porcelein, zilver, of iets van dien aard uit vroeger tijden bewaard is gebleven, is dit met meubilair minder vaak het geval. Dit behoorde immers niet zo zeer tot de categorie der kostbaarheden als wel tot die der gebruiksvoorwerpen, en als zodanig waren ze meer blootgesteld aan de onverschilligheid en zelfs minachting der jongere generaties, die de woninginrichting van hun ouders als onpractisch of ouderwets veroordeelden en ze naar de opkoper lieten verhuizen. Hoeveel er op die manier teloor is gegaan valt niet te becijferen; maar we kunnen toch met voldoening constateren, dat talrijke meubels het stadium van oude rommel, waarin ze op een gegeven moment kwamen te verkeren en waarin ze stellig met minder zorg zijn behandeld dan ze toekwam, glansrijk hebben doorstaan om nu als voorwerpen van schoonheid en waarde door jong en oud te worden gekocht. Als voorwerpen van bruikbaarheid tevens. Dit is één van die eisen die, meer dan voor ander antiek, aan meubels wordt gesteld. Nu wordt wel eens beweerd, dat de aanschaf van een antiek meubelstuk onoverzienbare consequenties met zich meebrengt, want dat hierdoor de noodzaak ontstaat om het gehele interieur in bijpassende stijl te brengen. Maar waarom zou deze noodzaak bestaan? Als het antieke stuk niet in uw omgeving detoneert, is het er op zijn plaats en behoeft er niets te worden veranderd. En, het klinkt misschien paradoxaal, hoe moderner u bent ingericht des te beter een antiek meubel daarbij zal staan. Juist doordat moderne interieurs sober zijn en strak. De combinatie van modern met antiek gaat in vele gevallen uitstekend. In het volgende zult u dan ook geen aanwijzing vinden over de wijze waarop een vertrek in oude stijl kan worden gemeubeld, maar alleen iets over meubels uit verschillende perioden, die op het ogenblik tegen niet te extravagante prijzen kunnen worden gekocht. Dat het niet stukken zijn daterende van eeuwen her spreekt vanzelf. Daarom zal de meeste aandacht worden gewijd aan minder zeldzaam meubilair, dat gemakkelijk kan worden aangeschaft.

boven v.l.n.r. briefpaneel, eikenhout; late vorm van briefpaneel, eikenhout; renaissancepaneel, eikenhout. onder: kist met eenvoudig gestoken ornament, 18e eeuw.

l.b. Hollandse vierdeurskast, eikenhout, 1e helft 17e eeuw. r.b. Friese keeftkast, eikenhout, 2e helft 17e eeuw. l.o. buikkabinet, wortelnotenhout met marquetterie, midden 18e eeuw. r.o. kabinet Lod.-XVI, eikenhout, Drents type, einde 18e eeuw.

porceleinkast, orgeltype, wortelnotenhout, midden 18e eeuw.

l.b. secretaire Lod.-XVI, met marquetterie van verschillende houtsoorten, einde 18e eeuw. r.b. naaitafeltje, mahoniehout, Biedermeier. l.o. bureautje, wortelnotenhout, midden 18e eeuw. r.o. kastje, mahoniehout, Empire.

Enkele veel gebezigde termen

Wanneer u op zoek bent naar een meubel zult u allicht in gesprek raken over de eigenschappen van het gezochte of verlangde stuk en dan willen nog wel eens technische termen ter sprake komen.

Elk meubel bestaat uit dragende en steunende delen b.v. bij een stoel de poten en de zittinglijst. Verticale, dragende delen noemt men stijlen, en horizontale, steunende regels. Poten, rugstijlen e.d. zijn soms gedraaid, gemaakt op de draaibank, dat is rond; dit draaiwerk kan allerlei zwellingen en insnoeringen vertonen.

Vaak zal men u vertellen dat een meubel gefineerd is. Dat is belijmd met een milimeter-dunne laag van een andere, duurdere houtsoort; aan de achter-, onder- of binnenkant is het z.g. kernhout natuurlijk zichtbaar; dit is voor Nederlandse meubels vaak eikehout. Is de fineerlaag in figuren gelegd, dan spreekt men van marquetterie. Inlegwerk in massief hout, een soort houtmozaïek dus, heet met een Italiaans woord intarsia. Beide termen worden wel eens door elkaar gebruikt.

Uitgaande van de veronderstelling dat u bij uw speurtocht binnen de grenzen van ons land blijft, zullen we de meubels van buitenlandse herkomst niet in de beschouwing betrekken. Ze worden hier natuurlijk ook aangetroffen, maar toch in mindere mate dan inheemse stukken. Wat van de laatste wordt geboden is waarlijk overvloedig te noemen.

Gothiek en 16e eeuw

Maar, zo u ooit gedacht had in het bezit van een gothisch meubel te kunnen geraken, moet u al dadelijk een illusie worden ontnomen. Ze zijn er eenvoudig niet meer, of beter, de schaarse stukken die nog zijn overgebleven, staan al lang in musea of in particuliere collecties. En mocht er op dit gebied al eens iets te koop worden geboden, dan zoudt u er een vermogen voor moeten geven. Nog een andere teleurstelling wacht u: de gothische meubelen uit de musea dateren meestal uit de 16e eeuw; het zijn late stukken, gemaakt in een tijd toen elders de renaissance al hoogtij vierde.

Gothische ornamenten kunnen nog wel voorkomen aan boerenmeubels, kisten b.v., die veel later, soms nog wel in de 18e eeuw zijn gemaakt; de tradities op het platteland waren taai en aan de oude vormen en ornamenten werd lang vastgehouden.

Het kan voorkomen dat u wat men noemt een gothiek meubel aantreft. Daarmee wordt bedoeld een recent vervaardigd stuk van oud eikehout, waarin soms originele fragmenten verwerkt zijn. Oppervlakkig gezien hebben dergelijke meubels een gothische allure, maar het zijn meestal typen die in de gothische tijd niet voorkwamen: kasten hoofdzakelijk. Die waren in de middeleeuwen voor huiselijk gebruik onbekend. Het bergmeubel was de kist, die zich ten plattelande het langst heeft gehandhaafd. Hieraan verwant is de „sittekist", een combinatie van kist en bank, en de zetel, een leunstoel met bergruimte onder de zitting, die alleen bij zeer voorname lieden in gebruik was. Het gewone zitmeubel was een uit drie planken samengesteld bankje of een driehoekig krukje. Een echt luxe meubel was het buffet of dressoir, in oorsprong een kist op hoog onderstel. En hiermee is het gothisch meubilair wel genoemd op de bedden na, waarvan u zeker geen zult vinden.

Dit alles opdat een eventuele ontmoeting met gothische meubelstukken met omzichtigheid tegemoet wordt getreden.

Nederlandse renaissance-meubels uit de 16e eeuw zijn eveneens uitermate zeldzaam, zo niet onvindbaar. Wel bezit ons land uit die tijd kerkmeubelen, koorbanken en koorhekken vooral, en enkele betimmeringen; het meeste daarvan is nog op de oorspronkelijke plaats aanwezig.

Waar u nog wel eens de gelukkige eigenaar van kunt worden is een paneeltje uit een gothisch of een 16e eeuws meubel. Voor het gebruik hebt u daar wel niets aan, maar zo'n eiken plankje met briefornament, traceerwerk of een rankmotief kan een prachtige wandversiering zijn.

17e, 18e en 19e eeuw

De 17e eeuw heeft van zijn meubelrijkdom veel nagelaten, wat echter grotendeels in musea en collecties is geraakt, zodat het niet eens altijd gemakkelijk is om uit die tijd iets te verwerven; kasten zijn nog in grote getale te koop, stoelen en tafels veel minder.

Uit de 18e eeuw is er daarentegen nog veel te krijgen, ook al doordat in die tijd meer meubelsoorten zijn ontstaan.

Uit de vroege 19e eeuw, de Empire, is weinig te vinden. Deze stijl heeft zo kort geduurd, dat vele families direkt van Lodewijk-XVI zijn overgegaan op Biedermeier.

Meubels uit laatstgenoemde periode zijn in overvloed te koop tegen redelijke prijs. Ze zijn tegenwoordig min of meer in de mode, hetgeen tot gevolg heeft dat er hier en daar copieën van verschijnen.

Neo-gothische stukken vindt men heel weinig, maar alle overige uit de tweede helft van de 19e eeuw des te meer. Er zijn trouwens nog families genoeg bij wie deze meubels nog steeds in gebruik zijn, terwijl ze door de jongere generatie reeds half en half als antiek of als curiosa worden beschouwd en gekocht.

Van de in de antiekhandel meest voorkomende soorten meubelen volgt hier een kort overzicht. Stukken die meer als accessoires van het meubilair moeten gelden, zoals klokken, spiegels e.d. zullen later worden besproken.

KISTEN

Ze zijn uitermate geschikt voor de aankleding van gang of hal, en ook in kamers misstaan ze niet. Als bergmeubel kunnen ze het best gebruikt worden voor dingen, die we niet dagelijks nodig hebben, want telkens bukken en misschien af en toe het deksel op het hoofd krijgen valt op den duur niet mee. Dat vonden onze voorouders waarschijnlijk ook, en het is misschien mede daarom, dat de kist in de 17e eeuw als meubel in onbruik begon te geraken en naar de zolder verbannen werd. Waarmee gezegd wil zijn, dat kisten uit die tijd niet veel worden aangetroffen. Veel vaker ziet men de 18e eeuwse z.g. kamferkist van heel eenvoudig model op vier lage voetjes, uit exotisch, insectenwerend kamferhout vervaardigd. Er zit vrij veel koperbeslag op dat decoratief is uitgezaagd, en behalve een versterking ook een versiering van het meubel vormt. Ze zijn lang niet altijd van Nederlands maaksel en in hun tijd waren het volstrekt geen stukken die een ereplaats in huis hadden.

Niet zeldzaam zijn verder de ijzeren geld- of archiefkisten, die nog eens extra met ijzeren banden zijn versterkt. Het sleutelgat in het voorbord dient om de aandacht af te leiden van het echte slot in het deksel, dat verborgen zit onder een lipje; dit moet met een puntige ijzeren stang opzij worden geduwd. Aan de binnenkant van het deksel zit een groot, prachtig versierd slotwerk. Het zijn zakelijke meubels, brandkasten eigenlijk. Ze werden met een donkergroene verflaag bedekt om roesten tegen te gaan; vaak ook waren ze rijk beschilderd met bloemen, scheepjes e.d. Deze beschilderingen zijn in de loop der tijden vaak vernieuwd.

Er komen ook nog wel eikehouten kisten voor met besneden panelen, afkomstig van boerendelen. Die behoren meer thuis bij de rustieke meubelen.

KASTEN

Vier- en tweedeurskasten

In oorsprong is een kast niet anders dan twee of meer opeengestapelde kisten, waarvan de deksels door deuren zijn vervangen. En het is misschien wel hierdoor te verklaren, dat sommige kasten uit de eerste helft van de 17e eeuw nog zijn onderverdeeld in een onder- en bovenkast. Deze zijn elk van twee deuren voorzien en soms door een la van elkaar gescheiden. Er bestaan uit die periode verschillende kasttypen

Zeeuwse kast *toogkast* *Amelander kast*

genoemd naar de streek waar ze het meest voorkomen. De houtsoort waarvan ze gemaakt zijn is eiken; als versiering, ingelegd of opgelijmd, wordt het donkere ebben of palisander gebruikt. In hoofdzaak bestaat het ornament echter uit snijwerk, aangebracht op panelen, regels en stijlen. De meeste 17e eeuwse kasten hebben onder de deuren een basement, al of niet met lade, dat rust op bolpoten en boven de deuren een kap bestaande uit architraaf, fries en kroonlijst. U moet zich niet voorstellen dat de Hollandse renaissancekasten alle van reusachtig formaat zijn. Heel veel kunnen in de hedendaagse interieurs best staan.

Gelderse kast

In lage kamers passen goed de Zeeuwse kasten, die breder zijn dan hoog. Ze hebben 4 of 5 deuren (van onderen 2, van boven soms 3) en verder een onder- en middenla. De deurpanelen zijn versierd met hoekig inspringend lijst- of cornis-werk. De stijlen van de onderkant zijn gecanneleerd, die van de bovenkast bezet met leeuwenkoppen. Hoog zijn de Hollandse vierdeurskasten met twee onder- en twee bovendeuren, die respectievelijk twee panelen en één paneel hebben, waartussen een gesneden middenregel; de fries is rijk versierd met ranken en vogels rondom een vaasachtig motief en ook de deurpanelen hebben snijwerk; pilasters of halfzuilen sieren de stijlen, soms prijken daar beelden (beeldenkast). Er zijn ook tweedeurskasten met een boogversiering op de deuren; ze worden toogkasten genoemd. Een ronde boog rust op een lijstwerk en de hoeken tussen de bogen en de kap (zwikken) zijn opgevuld met snijwerk. Soms komen de togen ook op de zijkanten voor. De eenvoudige bekroning heeft een smalle fries. Een variant van de toogkast is de Friese kast of keeft. Het snijwerk in de zwikken en soms in de bogen zelf, vertoont vogelmotieven, kieviten meent men wel. Maar de naam keeft is afgeleid van kevy, kooi. Kenmerkend is verder een bol fries – meestal zonder snijwerk – en een hoog basement. Getoogd is ook de Amelander kast met vier deuren; de bovenkast heeft een indeling in drieën met tussen twee deuren een nisje waarin vaak het jaartal gesneden staat. Een vlak, onversierd fries is kenmerkend voor deze kasten. Tenslotte noemen we nog de Gelderse kast die met het verlengde van hoekstijlen en middenstijl rust op 3 bolpoten; de twee deuren zijn onderverdeeld in twee vierkante panelen waartussen een smal rechthoekig. Er bestaan van al deze modellen talrijke varianten rijk of sober versierd, meer of minder kunstig bewerkt. Heel goedkoop zijn deze meubels in de regel niet. Hoedt u voor copieën.

Van heel andere allure zijn de barokke kussenkasten uit de tweede helft van de 17e eeuw. De renaissancekasten maken, ondanks de vaak rijke versiering, een rustige indruk; de kussenkasten vertonen veel meer reliëf, niet alleen doordat de panelen der deuren (meestal 2) zijn verdikt tot z.g. kussens met geribde lijsten, robbellijsten, die een flikkerend lichteffect teweegbrengen, maar ook doordat kroonlijst en basement zwaar zijn geprofileerd en de hoekstijlen vaak schuin zijn gesteld. Langs de deuren staan vrijstaande kolommen die soms geslingerd zijn of halfzuilen (kolomkasten). Inplaats daarvan komen ook reliëfs van festoenen voor (rankenkasten).

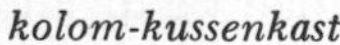

kolom-kussenkast

ranken-kussenkast

Deze imposante meubels zijn meestal van gefineerd palisander- en ebbenhout. Men kan ze tegenwoordig betrekkelijk veel krijgen, vooral de heel grote exemplaren. Die mogen voor woonhuizen minder bruikbaar zijn geworden, voor representatieve ruimten zoals hallen van openbare gebouwen, vergaderzalen, directiekamers zijn ze uniek. U kunt dit kasttype ook in heel eenvoudige uitvoering aantreffen, zonder kussens, zonder kolommen of festoenen, zonder robbellijsten, nagenoeg geheel vlak. Dit zijn de z.g. Drentse kasten, die door hun eenvoud in ieder interieur passen. Ze zijn bovendien minder duur dan de meer pompeuse kussenkasten. Het komt wel eens voor dat Drentse kasten in de 19e eeuw, toen er grote voorkeur bestond voor rijk geornamenteerde meubelen, met rankensnijwerk zijn belijmd.

Kasten op onderstel

Behalve de genoemde kasten, die op lage poten staan, kende de 17e eeuw kleine tweedeurskastjes in de stijl van de grote renaissance- en barokkasten rustend op een tafeltje. Ze zijn tegenwoordig zeldzaam.

kabinetkast

Uit de late 17e en vroege 18e eeuw dateren de vlakke, rechte tweedeurskasten op een onderstel van 4 of 6 poten, die door regels zijn verbonden. Deze kasten zijn soms prachtig versierd met marketterie. Komen we wat verder in de 18e eeuw, dan hebben deze kasten de bergruimte vergroot met twee rijen laden, aangebracht onder de kast. En tenslotte bestaat het hele onderstel uit laden, in drie rijen, die steunen op lage pootjes, veelal in de vorm van door een dierenklauw omvatte bol. Al deze typen kast heten kabinet. Het meest ziet men het hoge kabinet met drie rijen laden, dat onder de invloed van de rococostijl zwellingen en golvingen vertoont: een gebogen kap met gesneden kuif, plaats biedend voor porseleinen kommen; de beide deuren versierd met smalle lijstjes met gekrulde ornamenten. De laden, besloten tussen twee zeer fors geprononceerde wangstukken en een geschulpte, gesneden onderlijst, het onderstel dus, vertoont twee typen: het z.g. orgeltype met vertikale golvingen die een beetje de indruk maken van orgelpijpen, en het buiktype met horizontale bol - hol - bol golvingen. Ook in de Lodewijk-XVI stijl komen deze kabinetten voor: rechtlijnig en vlak, met rechte kroonlijst; hierop staat een balustradetje en ook wel een driehoekige of halfronde bekroning met reliëfsnijwerk. Het grote kabinet was hét meubel voor voorname families zowel als voor de gewone man. U kunt deze meubels vinden in min of meer verfijnde afwerking, van goedkope en kostbare houtsoorten. Buik- en orgelkabinetten behoren tot de meer luxueuse soorten en komen veel voor in wortelnotenhout met donkere, onrustige vlam. Voor Lodewijk-XVI kabinetten werd overwegend mahonie gebruikt en de eenvoudiger kasten zijn van eikehout, soms roodachtig gepolitoerd in imitatie mahonie. Het op de kabinetten voorkomende koperbeslag vertoont, al naar de tijd waarin het meubel ontstaan is, asymmetrische Lodewijk-XV krullen of uit het Lodewijk-XVI stammende elementen als guirlandes, vazen, medaillons. Op orgelkasten zit beslag in Engelse stijl, vlak en enigszins het silhouet vertonend van een vleermuis. Maar aangezien buikkabinetten tot diep in de 18e eeuw en zelfs nog wel later gemaakt zijn, kan daarop beslag – en zelfs snijwerk – in Lodewijk XVI-stijl voorkomen. Eenvoudige kabinetten hebben vaak een goedkoop soort, blikachtig beslag bestaande uit ronde plaatjes met trekringen in plaats van trekhengsels.

Precies als de kabinetten zien porseleinkasten er uit; alleen zijn de deurpanelen vervangen door roeden met glas. Ze zijn soms origineel maar vaak ook tot porseleinkasten omgebouwde kabinetten. Mits van een goed echt oud stuk gemaakt worden dergelijke porceleinkasten als volwaardig antiek beschouwd.

Iets anders is, dat deze meubels in de vorige eeuw veelvuldig zijn gecopieerd, en meestal heel knap. Toch hebben lijn en ornament nooit de „schwung" van de oorspronkelijke.

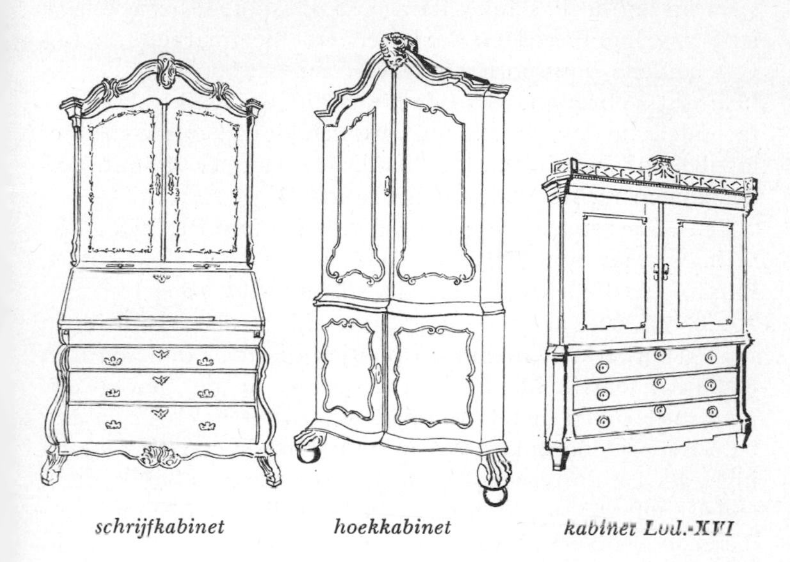

schrijfkabinet *hoekkabinet* *kabinet Lod.-XVI*

Smaller en eleganter is het schrijfkabinet, met een schuine klep tussen kast en laden; die kan worden neergeslagen om als schrijfblad te dienen en geeft dan een binnenwerk met velerlei laatjes te zien.

Zonder bovenkast, dus alleen als ladenkastje met schuine klep, bestaat het commode-bureautje. Dit meubel wordt nog altijd gecopieerd, vooral in kleine afmetingen, om als dames-schrijfbureautje gretig aftrek te vinden.

commode

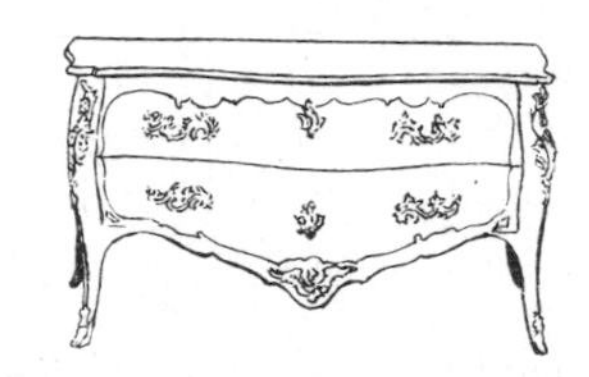

commode naar Frans model

Nauw verwant met dit schrijfbureautje is de commode, een laag ladenkastje, waarvan het buikmodel de grootste voorkeur geniet. Maar eleganter is het Franse Lodewijk-XV type. Dit staat op halfhoge, slanke, flauw gebogen poten; het voorvlak is licht gebombeerd en vaak versierd met marketterie van verscheidene houtsoorten waarvan het patroon over het gehele vlak doorloopt, zodat de laden niet duidelijk van elkaar te onderscheiden zijn. Soms vertonen de zijkanten van het meubel ook zwellingen. Het blad is van marmer of hout. Verder komen rechte Lodewijk-XVI modellen ook voor.

Een ander ladenkastje is de rijzige chiffonnière, goed 1½ m hoog, met 5 of 6 laden, voorkomend in Lodewijk-XVI, Empire en Biedermeierstijl, alle uitgevoerd in opgelegd mahoniehout. Die van eerstgenoemde stijl is de elegantste, in smal raamwerk, steunend op pootjes, die naar onderen dun toelopen; soms hebben ze cannelures op de zijstijlen en een tandlijstje onder het bovenblad, waarlangs al dan niet een balustradetje loopt; kostbare exemplaren zijn met fijne biesjes ingelegd. De Empire-modellen zijn zwaarder, op kubuspoten, met kolommetjes of hermen langs de zijstijlen, meest met marmeren bovenblad en verder geen versiering dan het verguld koperbeslag. Die van de Biedermeier zijn ook zwaar, minder verfijnd, met een vooruitspringende kap, en, als de meeste meubels van deze stijl, minder hoekig.

chiffonnière Lod.-XVI — *chiffonnière Biedermeier* — *secretaire Empire*

Evenals met de commode correspondeert met de chiffonnière een schrijfmeubel, de secretaire, die dezelfde vorm heeft, maar van boven een klep in plaats van laden, en van onderen laden of twee deurtjes. Ze komen in Biedermeierstijl het meest voor en geven vooral een aardig effect als ze openstaan doordat het binnenwerk met vakjes en laden het meest is versierd met inlegwerk, althans bij de Biedermeier. Deze twee soorten kastjes zijn trouwens decoratieve meubels.

Van gelijk formaat ongeveer zijn tweedeurskastjes met een bovenla, eveneens uit de genoemde drie stijlperioden. Het Lodewijk-XVI heeft hele kostbare met allerlei marketterie en lakpanelen, maar ook heel eenvoudige. Die uit de Biedermeier hebben wel glazen deurtjes en als het late exemplaren zijn vertonen die spitsbogen of roeden die in gothische bogen verlopen.

Zeeuws kastje

Van kleine afmeting is het lage Lodewijk-XVI kastje met jalouziedeurtje, Zeeuws kastje genoemd, omdat het in deze provincie veel voorkomt.

Denkt u er om dat de allerliefste kleine roldeurkastjes, rechthoekig of vierkant van model, op hoge poten, oorspronkelijk nachtkastjes waren? Dit zal waarschijnlijk geen bezwaar voor u zijn om ze te promoveren tot theemeubeltje. Dezelfde soort kastjes maar iets groter, met uittrekla zijn kamergemakjes.

Tot de kleine kastmeubels willen we ook hoekkasten rekenen, ofschoon die soms een behoorlijke hoogte hebben. Ze hebben het grondplan van een rechthoekige driehoek en het front is smaller dan van gewone kabinetten, ofschoon het er vaak wel het uiterlijk van heeft. Deze kasten zijn 18e eeuws al naar de stijl waartoe ze behoren gebombeerd of vlak; er zijn hoge maar ook halfhoge, en voor wie een kamer heeft met weinig wandvlak zijn ze een uitkomst.

Buffetten

Deze meubels worden in Lodewijk-XVI en latere stijlen aangetroffen. Renaissance-buffetten, meest van Vlaamse herkomst, zal men buiten de musea niet licht meer vinden. Ook de hoekbuffetten uit de 18e eeuw zijn zeldzaam, maar de mahonie buffetjes uit het laatst van de 18e en de eerste decenniën van de 19e komen geregeld voor, ofschoon niet in overvloed. Het zijn tweedeurskastjes met een uittrekblaadje ter weerszijden en een opstand met plankjes voor het etaleren van glaswerk en porcelein; de opstand kan worden toe- en neergeklapt op het bovenblad. Voor deze buffetten geldt hetzelfde als voor de chiffonnières en secretaires: die uit de Lodewijk-XVI zijn het sierlijkst; ze zijn vaak voorzien van een tinnen fonteintje waarmee in het bovenblad een bassintje correspondeert; dit hebben de latere exemplaren niet. Als meubels van echt Hollandse gezelligheid zijn deze buffetten veel begeerd.

Tafels

Biedt de antiekhandel een grote en gevarieerde keus in kasten, wat tafels betreft is deze lang niet zo groot.

Aan de vele modellen van kasten die de 17e eeuw kent, beantwoordt geenszins een evenredig aantal soorten tafels. Er is eigenlijk maar één type: de eiken bolpoottafel. Dit meubel kenmerkt zich door zware, balustervormige poten die onderling door voetregels zijn verbonden. Het uittrekblad is op een speciale manier gevoegd, zoals op de tekening staat aangegeven, en rust op een zware bladlijst, die steekt in grote rechthoekige klossen, huizen genaamd. Deze huizen zijn vaak gecanneleerd of ingelegd met donkere biezen; decoratief werken de uitgezaagde hoekvullingen tussen huis en bladlijst. Een variant is de z.g. betaaltafel met onder het verschuifbaar blad een bergruimte voor geld en kasboeken.

Een wat latere vorm is de tafel met geslingerde poten en

voetregels, die overigens dezelfde versiering vertoont als de bolpoottafel. Een uit de late 17e eeuw daterend type vertoont een slanke, zeskantige balusterpoot. Het eikehout heeft dan plaats gemaakt voor het luxueusere noten-, en inlegwerk komt als versiering voor.

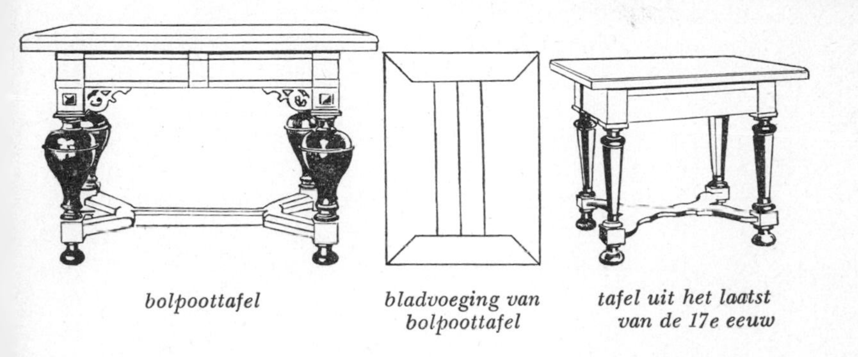

bolpoottafel — *bladvoeging van bolpoottafel* — *tafel uit het laatst van de 17e eeuw*

Achttiende eeuwse tafels zijn, zoals de meeste meubels uit die tijd, lichter van vorm dan hun voorgangers. De poten, hoeks geplaatst, tonen een elegante curve en hebben geen regelverbinding meer; het blad is dunner, soms geschulpt en met afgeronde hoeken. Tot 1740 ongeveer is de poot van boven breed en eindigt hij van onderen in een klauw met bal of in een wat uitgedeeld zooltje. Op de verbreding (schouder) komt vaak een gesneden ornament in Lodewijk-XVI stijl voor. Dit is de knotspoot. Wat later, onder de invloed van de rococostijl, wordt deze poot dunner, de curve flauwer, en is de verbinding met de tafellijst niet of nauwelijks meer zichtbaar.

tafel Lod.-XVI

Grote Lodewijk-XVI tafels zijn er weinig. De gebogen poot heeft in deze stijl plaats gemaakt voor een rechte, al of niet gecanneleerd, naar onder dun toelopend, die vierkant of rond kan zijn.

De Empire brengt de ronde tafel met driehoekig voetstuk waarvan de zijden zijn ingezwenkt, de z.g. driesprant; die rust op zijn beurt weer op leeuweklauwen. Rijke exemplaren hebben een marmeren blad op drie gebeeldhouwde sfinxen, chimairen (soort monsters) of dolfijnen, eenvoudigere een houten blad op één poot in de vorm van een zuil, of van een vaas met een krans van vergulde acanthusbladen terwijl de vaas van donkergroen geverfd hout is als imitatie van brons; veel voorkomend is een driekant-poot waarvan de drie zijden in een holle curve naar boven smaller toelopen en een zes- of achtkantige balusterpoot. Deze beide laatste vormen komen ook in de Biedermeier voor.

tafel laat-Empire model

Uit die periode zijn er enorm veel ronde mahonie tafels, die stellig ook nog in later tijd gemaakt moeten zijn. Ze zijn op het ogenblik bijzonder in trek en waren vóór de oorlog op verkopingen voor een krats te krijgen. De driesprant van de vroege exemplaren rust op de naar onder gebogen toppen van de driehoek, die van de latere op een gedraaid voetje. Vertoont de baluster allerlei zwellingen en loopt hij over de driesprant in krullen uit, dan hebben we met een laat Biedermeier tafel te doen. Is de bladrand geschulpt, dan is ze later dan 1850. Als eettafel zijn deze meubels bijzonder gezellig; het is verstandig om er een te kopen met inlegbladen zodat ze kan worden vergroot; het blad wordt dan natuurlijk ovaal.

Kleine tafeltjes

Aan het einde van de 17e eeuw komen kleine, hoge, ronde tafeltjes op één poot in zwang, meer standerds eigenlijk, dienende om kandelabers op te zetten, guéridons geheten. Ze kunnen thans goed worden gebruikt voor het plaatsen van vaas of een schemerlamp.

hangoortafeltje, Biedermeier

Kleine tafeltjes, zoals we die graag hebben voor de zithoek, zijn nogal moeilijk te krijgen, hoewel ze in de 18e eeuw veel werden gemaakt. Het Lodewijk-XVI biedt wel eens enkele, rond, rechthoekig of ovaal, versierd met kostbare marketterie en lakwerk, die dientengevolge heel prijzig zijn. Uit de Empire vindt men wel mahoniehouten exemplaren, rond met drie in holle curve verlopende poten op driesprant (waarschijnlijk een ontlening aan de antieke drievoet). Ze dienden om bloemen en planten op te zetten en zijn nogal hoog; voor modern gebruik worden ze vaak ingekort.

Erg gewaardeerd worden tegenwoordig de klap- of hangoortafeltjes met aan de smalle kanten van het blad een neerhangende klep, die kan worden opgeslagen. Hun oorsprong ligt in de late 17e eeuw toen keukentafels zo werden gemaakt en hun meest voorkomende vorm is in Biedermeierstijl, van mahonie alweer, met in sierlijke ronding verlopende poten.

breitafeltje Biedermeier

Een variant van de hangoor is het stomme knechtje, een klein vierkant kleptafeltje met besteklaatje en onderblad, dat als dientafeltje fungeerde. Ze zijn in Empire en Biedermeier te krijgen; de eerste heel strak van lijn met wat metaalbeslag of een enkele koperen bies; de laatste met gedraaide poten, wat minder stijlvol maar heel aardig. Kleine stukken uit de Biedermeiertijd zijn naai- en breitafeltjes. De eerste zijn vierkant; onder het opklapbaar blad vindt men een naaidoos en daaronder een groen saaien zak die als een laatje kan worden uitgetrokken. Breitafeltjes zijn rond met een korfvormig kluwenbakje om de poot. Echte stukken uit de tijd van huiselijke gezelligheid, maar de prototypen moeten worden gezocht in de Franse Louis-XV en Louis-XVI, waarin allerlei kleine salonmeubeltjes ontstonden, die nu zo kostbaar zijn geworden dat maar weinigen die kunnen aanschaffen.

Wandtafels

Er bestaat een bijzonder soort tafels, gemaakt om een plaats te hebben tegen de wand, als onderdeel van de binnenhuisarchitectuur. De oudste zijn gangtafels, gemaakt vanaf ongeveer 1670 tot in de eerste decenniën van de 18e eeuw. Het marmeren blad rust op poten in de vorm van een S- of Gvoluut; deze zijn evenals hun verbindingen rijk, haast overdadig gebeeldhouwd. De stijl van dit beeldhouwwerk evolueert van de kwab naar het Louis-XIV ornament. Het houtwerk is vaak verguld of wit geschilderd.

Sterker met de architectuur verbonden is de consoletafel met segmentvormig marmeren blad; dit rust op een lijst langs de wand en op één gebeeldhouwde poot, meer een console die soms niet tot de grond reikt. Deze meubels behoren tussen twee ramen te staan met een bijpassende spiegel er boven. Ze komen in Lodewijk-XIV, XV en XVI stijl voor; de laatste kent ook rechthoekige modellen aan de voorkant rustend op twee slanke rechte poten. In de 19e eeuw heeft men ze veel in neo-rococostijl gemaakt met overdadige, wilde krulornamenten.

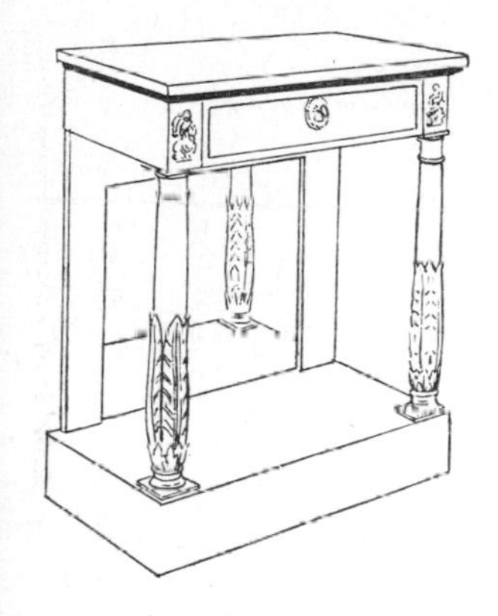

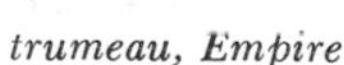

trumeau, Empire

trumeau, Biedermeier

Aardig voor het gebruik maar zeldzaam zijn de eenvoudige Lodewijk-XVI halvemaan-tafeltjes in mahonie- of ander hout.

Uit de Empire zijn er vrij veel wandtafels of trumeaux van rechthoekig model op vier poten, de twee voorste als gladde zuilen. Ze hebben een marmeren bovenblad en een onderplank die soms tegelijk een plint vormt. Vaak is tussen deze onderplank en het blad een spiegel als achterwand aangebracht. Deze trumeaux komen in de Biedermeier ook voor, meest zonder spiegel en met in een krul verlopende voorpoten. Ze zijn erg geschikt om als theetafel dienst te doen.

Stoelen

Ze zijn van de antieke meubelen het meest gewild omdat een enkele stoel altijd gemakkelijk bij het overige meubilair kan worden gevoegd en de prijs in vergelijking tot die van andere stukken laag is. Dit laatste geldt natuurlijk overigens niet voor zeldzame exemplaren, en evenmin voor series van zes of acht. Over het algemeen zijn er veel te krijgen, daar er veel werden gemaakt in verhouding tot tafels en kasten b.v. Daar tegenover staat dat ze ook het meest zijn gesleten, zodat vroege stoelen toch weer vrij zeldzaam zijn. Met vroeg wordt hier bedoeld uit de 17e en ook de eerste 75 jaren van de 18e eeuw. Veel Lodewijk-XVI en Biedermeierstoelen zijn er, uit de Empire haast geen, en uit de Willem III tijd komen ze in massa voor.

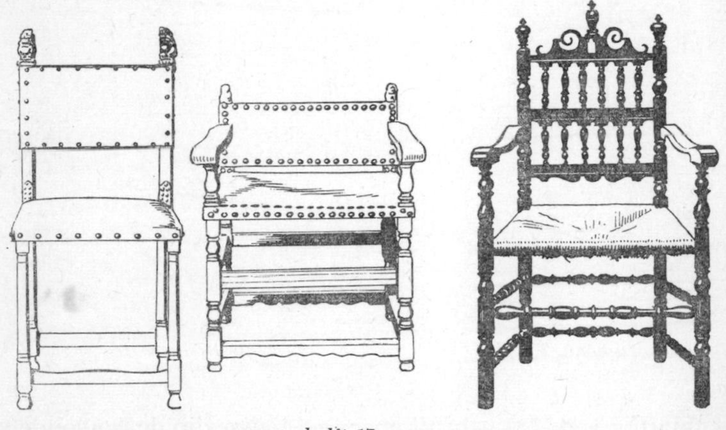

eerste helft 17e eeuw

De aankoop van een 17e eeuwse stoel kan als een evenement worden beschouwd. Vooral wanneer het een stuk uit de eerste helft van de eeuw betreft, want die zijn schaars, veel schaarser dan stoelen uit de latere 17e eeuw. Goedkoop zijn ze geen van alle maar toch ook niet onoverkomelijk duur. Terwijl vooral in de vroege 17e eeuw haast alle meubels van eikehout werden gemaakt zijn de stoelen altijd van notehout. De oudste modellen hebben een hoge zitting en een vrij lage rug die echter op hoge rugstijlen steunt zodat de indruk die ze maakt hoog is (uitzonderingen daargelaten). Zitting en rug zijn geheel bekleed zodat daaraan geen houtwerk te zien is. Meestal is de bekleding van leer, met grote koperen spijkers vast gezet. De poten hebben de vorm van slanke kolommetjes of zijn sterk geleed; in het eerste geval zijn er vier verbindings- of voetregels, in het laatste acht – vier van onderen en vier te halver hoogte van de poten – gestoken in rechthoekige blokken of huizen. Deze stoel, die ook armleuningen kan hebben, wordt Spaanse stoel genoemd. Typerend voor deze vroege stoelen is de rugbekroning van twee leeuwtjes. Ook komen rijke, opengewerkte ruggen voor met een traliewerk van spijltjes door boogjes verbonden en een rijk gesneden bovenregel.

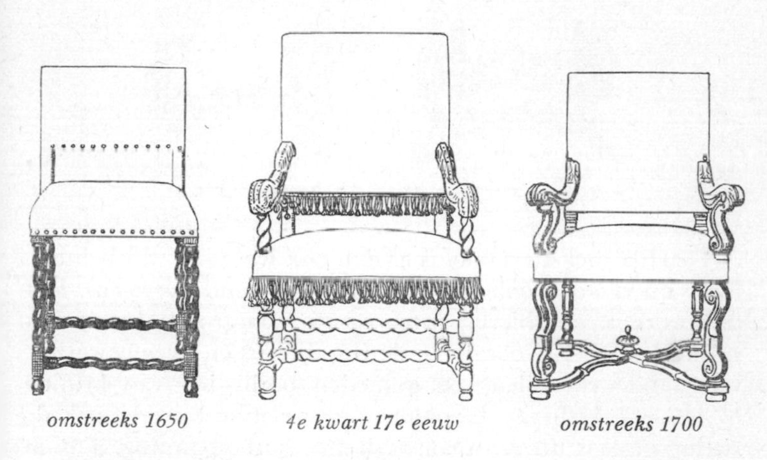

omstreeks 1650 *4e kwart 17e eeuw* *omstreeks 1700*

Iets later, omstreeks 1640/50 komt hetzelfde model voor met getorst stijl- en regelwerk, als eerste teken van de barok. De leeuwtjes verdwijnen dan en de geheel beklede rug is eenvoudig rechthoekig zonder ornamenten.

Onder invloed van de Louis-XIV stijl neemt dit stoeltype pompeuser vormen aan: de rug wordt hoger, heel hoog zelfs en de poten krijgen de vorm van voluten of balusters; ze hebben vaak een kruisverbinding die in het midden door een vaasachtig ornament is bekroond. Zijn er armleuningen, dan eindigen die meestal in zware voluten waarover een gesneden acanthusblad ligt. De bekleding is nu van rijk velours d'Utrecht, fluweel of damast. Deze statige stoelen, haast zetels, zijn tot in de 18e eeuw gemaakt. Van representatieve vertrekken vormen ze een ideale aankleding.

einde 17e eeuw *begin 18e eeuw*

Tegelijk met dit model is er dan ook weer een wat lichtere, meer open stoel, ook rijk en indrukwekkend overigens. Het houtwerk treedt hierbij meer op de voorgrond; het is met snijwerk versierd vooral aan de rug die tussen twee bewerkte, vrijstaande rugstijlen een gesneden omlijsting van krullen of lofwerk vertoont, bespannen met rietvlechtwerk; ook de zitting bestaat uit een raamwerk met rietbespanning. Tussen de voorpoten steekt vaak een gesneden verbindingsstuk. Dit type stoel heeft zich ontwikkeld tot een Louis-XIV model dat in de eerste helft van de 18e eeuw in verschillende variaties voorkomt: de z.g. hogerug-stoel. De rug is, behalve hoog, ook vrij smal, met rond gebogen bovenregel; hij is bespannen met riet of wel opgevuld met een gecompliceerd snijwerk met geprononceerd Louis-XIV ornament. Ook de poten en hun verbindingen hebben Louis-XIV vormen. Een eigenaardig-

heid van deze stoelen is de lage zitting, waardoor de hoge rug des te meer opvalt.
Deze rug neemt, naarmate we verder in de 18e eeuw komen, een meer open vorm aan hetgeen geschiedt onder invloed van de Engelse Queen-Anne stoel. Dit is de rug met één brede middenstijl of -plank in een hoge, flauw gebogen, smalle

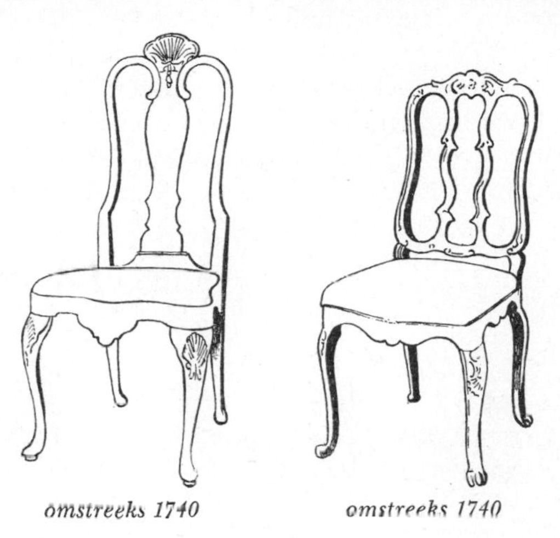

omstreeks 1740 *omstreeks 1740*

omlijsting. De plank heeft een gegolfd profiel. In de loop van de tijd, omstreeks 1750, is deze rug nog luchtiger geworden doordat de middenplank ajour is bewerkt. Dit stoeltype met middenplank heeft niet meer de lage zitting van de vroeg 18e eeuwse stoel en evenmin de Lodewijk-XIV baluster- of S-poot, maar de poot die ook aan de Queen-Anne stoel voorkomt, de z.g. knotspoot. Deze is in een lange curve gebogen en eindigt soms in een klauw met bal, soms in een verbreed zooltje; het boveneinde, de schouder, is verbreed en vaak versierd met snijwerk in Lodewijk-XIV of Lodewijk-XV stijl. De voorpoten zijn hoeks geplaatst en meestal ontbreken de voetverbindingen. Als houtsoort komt veel noten en mahonie voor. Dit stijle model stoel past eigenlijk niet in de rococotijd, maar de Nederlandse interieurs waren nu eenmaal wat strenger. Het past ook niet goed in onze kamers, maar wel in een hal of andere grote ruimte. Als u deze stoelen koopt dient u er rekening mee te houden, dat ze om een tafel niet goed tot hun recht komen; van oudsher horen ze dan ook tegen de wand te staan.

Een meer open vorm ook geeft de rug met een rij evenwijdig lopende, smalle, vertikale spijlen, die smaller of breder zijn en vaak een gegolfd profiel tonen. Dit is een Nederlandse vorm van rococostoel.

Het Franse rococotype komt ook voor. Dit is breed en laag; poten, zittinglijst, rug en eventueel armleuningen vloeien in één golvende curvelijn in elkander over. Fauteuiltjes met geheel gesloten armleuningen en een los kussen op de zitting noemt men bergères. Deze stoelen zitten prettiger dan welke ook. Maar om zo heerlijk te kunnen zitten moet men zwaar betalen.

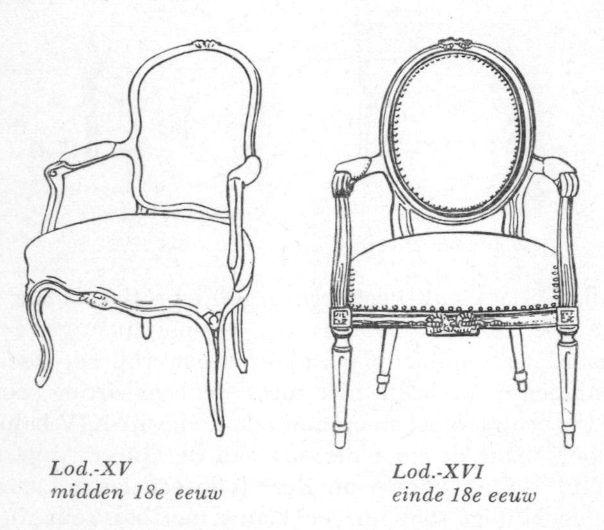

Lod.-XV
midden 18e eeuw

Lod.-XVI
einde 18e eeuw

Om goed te zitten kan men ook terecht bij de Lodewijk-XVI stoelen, hoewel de stijl daarvan veel strenger is. Geen curven meer; de rechte lijn domineert. Vooral in de poten is dit zichtbaar: die zijn slank, rond of vierkant in doorsnee, en lopen naar onderen smal toe, soms zo smal dat ze de grond nauwelijks schijnen te raken. Vaak zijn ze gecanneleerd, waardoor ze nog slanker lijken. Onder de zittingslijst vertonen ze een insnoering, en waar poot en deze lijst samenkomen zit een vierkant blokje met een gesneden rozetje versierd. De ruggen zijn licht trapeziumvormig of ovaal. Aan deze stoelen vinden we de gewone Lodewijk-XVI ornamenten als parelranden, langs het raamwerk, strikjes of medaillons als bekroning van de rug en op het midden van de zittinglijst. Zijn die niet vloeiend in het verloop van het houtwerk opgenomen, dan kan de originaliteit van de stoel betwijfeld worden. De bekleding bestaat uit zijden damast, gobelin, grand- of petit-point, hetgeen bij andere stoelen uit de 18e eeuw ook voorkomt. Speciaal in het Lodewijk-XVI treft men ook velours d'Utrecht aan met een groot medailonpatroon. De houtsoort is voor Nederlandse exemplaren overwegend mahonie; ook vergulde en in lichte kleuren gelakte (wit, amandelgroen e.d.) komen voor.

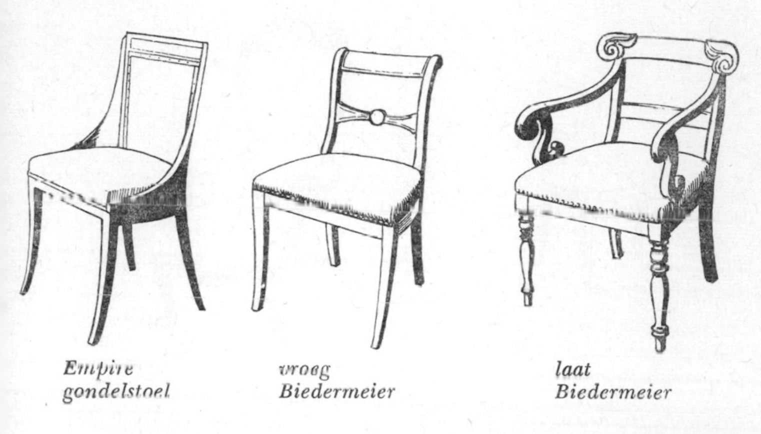

Empire gondelstoel — *vroeg Biedermeier* — *laat Biedermeier*

Een eenvoudiger, en hier veel meer verbreid type is de iepenhouten stoel, waarvan de open rug is voorzien van spijltjes of een middenplank; deze heeft de vorm van een vaas of een lier, of is ajour bewerkt met aan cannelures herinnerende openingen. De aardigste vorm van dit soort stoelen is de korenaarstoel met een rugversiering van twee, drie of vier op aren gelijkende pluimen. Deze stoelsoorten bestaan in meer verfijnde en meer volkse uitvoering; de laatste hebben vaak een biezen zitting en zien er enigszins uit als keukenstoelen. Ze waren blijkbaar algemeen in gebruik in doorsnee-huishoudingen en men kan zich voorstellen dat b.v. Betje Wolff en Aagje Deken op zo'n soort stoel hebben gezeten. Vroeger brachten deze stoelen weinig geld op; nu zijn de prijzen sterk gestegen, maar niet tot onbetaalbare hoogte.

Empire stoelen zijn van massiever, gesloten vorm, van donker mahonie; de rijke exemplaren versierd met verguld koperbeslag of koperen biezen. De poten zijn eenvoudig; vierkant en een beetje inwaarts ingebogen, z.g. sabelpoten; ze staan soms wat gespreid naar buiten. Armleuningen eindigen vaak in zwanehalzen of leeuwekoppen en steunen soms op dolfijntjes. Een typisch model uit deze stijl is de z.g. gondelstoel waarbij ter weerszijden van de rug een kleine wang voorkomt die met een holle curvelijn van de voorpoten naar de rugstijlen verloopt.

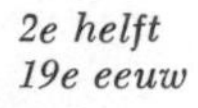

2e helft
19e eeuw

Voltaire
2e helft 19e eeuw

Veel en veel meer populair dan de Empire stoelen zijn die van de Biedermeier; ze komen trouwens regelrecht uit de Empire voort, maar zijn eenvoudiger, huiselijker. Het meest voorkomende model is onversierd, met sabelpoten en open of dichte rug waarvan de stijlen en bovenregel even naar achteren ombuigen. Dit was destijds de gewone huiskamerstoel. De zitting is hard en de oorspronkelijke bekleding is van gevlochten paardehaar, ijzersterk maar weinig flatteus bij mahoniehout; wij vervangen die liever door wat fleurigers. Er bestaan van dit stoeltype verschillende variaties met meer of minder versiering.

Uit de Willem-III tijd willen we tegenwoordig wel eens een zitmeubel aanschaffen dat ons door de totaal afwijkende vorm van de moderne, uit lang vervlogen tijden schijnt te stammen, waarbij we wel eens vergeten dat deze meubels vaak nog in de huizen staan. Bepaald in trek zijn de ietwat aan Louis-XV modellen ontleende stoelen en vooral de armstoel met hoge rug en veel snijwerk, de Voltaire, die meestal voortreffelijk zit. Met hun rondingen en tierlantijnen brengen deze meubels in de strakheid van het moderne interieur een enigszins speelse noot. Maar dan moet de deftigheid van het donkere mahonie, van de rode pluche-bekleding worden uitgebannen. Daarom loogt men deze meubels af en lakt ze wit, en voorziet ze van vrolijker bekleding. Aldus gemetamorfoseerd staan ze dan wéér in de huizen. Eigenlijk wordt aldus op deze meubels vandalisme gepleegd, maar noch ouderdom, noch stijlkwaliteiten rechtvaardigen een al te groot respect, althans in de ogen van de huidige generatie.

Zitbanken

Uit de laatste decenniën van de 17e eeuw kennen we de zitbank; echter niet als meubel voor in de kamer, maar als gangbank. Dit meubel is onbekleed, geheel van hout, met smalle zitting en rechte, vrij hoge rug die bijzonder rijk gesneden ornamenten vertoont, evenals de zijleuningen. Langs de zittinglijst loopt vaak een stof-imiterende lambrequin. Dit soort bank komt in Lodewijk-XIV zowel als in Lodewijk-XV en -XVI stijl voor. Vaak is het hout donkergroen of wit gelakt.

Heel zeldzaam is de laat 17e eeuwse rustbank, een eenvoudige lage bank met torspoten soms in combinatie met snijwerk; de zitting is bekleed of heeft rietbespanning; aan één der smalle zijden is een lage, wat schuin afstaande rug.

Comfortabeler is de chaise longue uit de 18e eeuw, die ook niet dikwijls wordt aangetroffen. Ze is twee- of driedelig en bestaat eigenlijk uit twee bergères en een middenstuk zonder leuningen.

Het meubel dat wij canapé noemen is een creatie van de rococo. Daarvóór zijn er al de zitbankjes of banken die niet anders zijn dan twee of meer aaneen bevestigde hogerug stoelen met middenplank. De canapé met beklede rug en de sofa met eveneens beklede zijleuningen komt in Lodewijk-XV en -XVI stijl voor, maar is zeldzaam. Ook uit de Empire komt men ze niet vaak tegen, maar uit de Biedermeier des te meer.

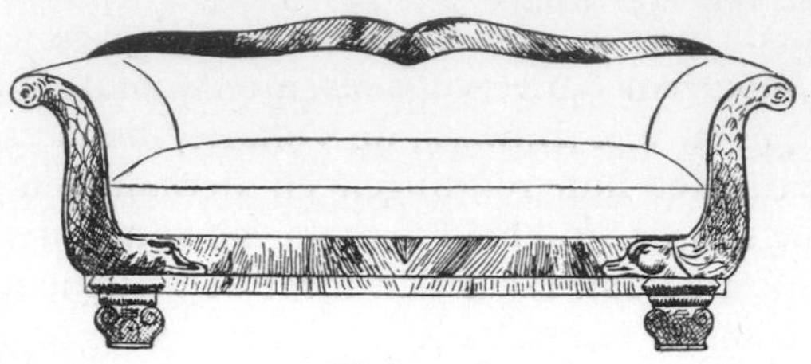

Biedermeier

Men kan ze in kleine en grote afmetingen vinden. De rug heeft soms een acoladevormig profiel; de beklede armleuningen zijn in een sierlijke krul uitgebogen; de zitting is hoog opgevuld zodat de poten heel laag zijn. Als het meubel compleet is horen er, zoals dat ook in de Empire gebruikelijk is, twee cylindervormige kussens in te liggen tegen de armleuningen.

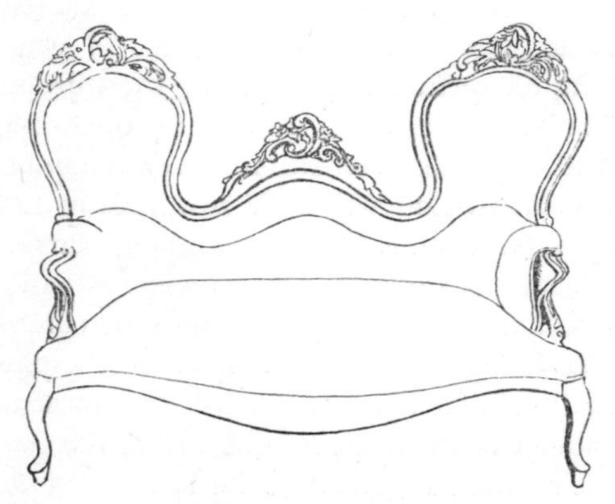

2e helft 19e eeuw

Voor wie zo'n canapé wat te massief vindt is er de méridienne, die het midden houdt tussen een canapé en een rustbank: de rug naar één kant aflopend en één hoge zijleuning aan de hoge kant van de rug. Ze zijn zeldzamer dan canapés en in ouder stijl dan Biedermeier zult u er waarschijnlijk nooit één vinden, ofschoon ze in Empire en Louis-XVI bestaan.

Tenslotte nog de canapé uit de tweede helft van de 19e eeuw, waarvan de rug een dusdanige golflijn vertoont dat het er veel van heeft of twee Voltaires door een laag leuninkje aan elkaar zijn verbonden. Een welige rijkdom van gesneden ornamenten, op de toppen der curven accentueert het grillig en joyeus karakter van deze meubels.

RUSTIEKE MEUBELS

Ze zijn afkomstig uit plattelands-, meestal boerenwoningen en vallen op door stoere eenvoud. De gebruikte houtsoorten zijn inheemse, die in hun tijd goedkoop waren: eiken-, beuken-, iepen-, kersen- en perenhout. Het maaksel is zeer eenvoudig, vaak een samenstel van vrij dikke planken als stijlen, waarbinnen de panelen. De vormen gaan terug op heel oude, soms nog romaanse en gothische. Hierdoor en ook door het feit dat de meubels weinig verfijnd zijn, kunnen ze gemakkelijk voor veel vroeger worden aangezien, dan ze werkelijk zijn. Ook de versiering biedt voor datering weinig houvast. Meestentijds bestaat ze uit snij- of steekwerk en vertoont ze motieven uit gothick, renaissance of de Lodewijk-stijlen, maar dan wat simpeler, grover, men kan gerust zeggen boerser, hetgeen zeer zeker niet beduidt dat deze versiering zonder charme is. Daar alle stijlmotieven heel lang, soms eeuwen in zwang bleven, kan men deze meubels vaak niet met zekerheid dateren. Ouder dan uit de 18e eeuw zijn ze echter meestal niet, en er zijn er veel die uit de vorige stammen.

Het meest populair is de kist, die nu nog wel op de deel van boerenhoeven wordt gevonden. Het meest voorkomende type de Drentse kist, wordt in het hele oosten van het land aangetroffen: de zijstijlen, stevige brede planken, lopen tot op de grond door en vormen zo tevens de vrij hoge poten. Het deksel is vlak of vertoont twee flauwe glooiingen. Stijl- en regelwerk is met een gestoken vlechtbandmotief versierd, de panelen zijn glad of vertonen eveneens steekwerk. Een ander type is de kist op sleevoeten, twee aan voor- en achterkant van het meubel uitstekende dwarsplinten.

Kasten treft men groter en kleiner, twee- of vierdeurs aan. Vaak wordt gesproken van broodkast of spinde, waarbij niet altijd een bepaald type is bedoeld. In de antiekhandel noemt men tweedeurskastjes met bovenla broodkastjes en rustieke hoekkasten, hoekspinde. Soms is het bovendeel van de deuren met een traliewerk van gedraaide spijltjes voorzien; dit komt o.a. voor bij Hinloper kasten (evenals aan de bedsteedeuren van dezelfde herkomst). Een andere benaming, melkkast, duidt op een bepaald model, n.l. één dat enigszins verwant is met de Zeeuwse kast; breder dan hoog, van boven drie en van onderen twee deuren. Met het bedrijf van de veeboer hebben ze niets te maken; ze dienden voor het opbergen van eetwaar en huisraad. Invloed van het stadse meubel tonen de vele landelijke versies van kabinetten.

Van de tafels moet worden genoemd de z.g. Achterhoekse tafel, een ronde tafel op drie wat schuin staande, plankvormige poten; het blad kan vertikaal worden opgeklapt. Dit type heeft zijn voorganger in de 17e eeuwse, veel rijker bewerkte klaptafel, die later ook bij de Hinloper en Zaanse meubels wordt aangetroffen.

De echte boerenstoel is de knopstoel of Brabantse stoel met biezen zitting; poten en rugstijlen zijn gedraaid en door een knop bekroond; in de stijlen steken drie of meer vrij brede, van boven wat getoogde regels. Op 17e eeuwse schilderijen ziet men dit stoeltype in eenvoudige stadsinterieurs. Het wordt tot op heden gemaakt en heet nu oudhollandse stoel. Ook beschilderd komt het voor. Rustiek is verder de zetel met heel hoge rugleuning, van geheel gesloten vorm; soms bevindt zich, naar gothische trant, een bergruimte onder de zitting. Deze stoelen, die er ontzettend oud en eerbiedwaardig uitzien, dragen vaak een ingesneden jaartal op de bekroning van de rug en dit is dikwijls uit het laatst van de 18e eeuw.

Een bijzondere plaats nemen de beschilderde Hinloper, Zaanse en Amelander meubels in. De eerste zijn het beroemdste; ze worden tegenwoordig nog gemaakt, alleen niet voor de bewoners van Hinlopen. Vooral bekend zijn het bedsteetrapje, de klap-aan-de-wand (klaptafel), het schrijntje (laag tafeltje op schraagjes), het bijbellessenaartje. Ook de prikslee is vermaard. Karakteristiek is een rood, blauw of crême fond waarop rank- en krulwerk. Op panelen komen bijbelse en allegorische taferelen voor, op onderdelen ook wel marmerimitatie. De stoelen zijn effen groen; polychroom geschilderde exemplaren zijn van later tijd. Zaanse meubels zijn veel gemarmerd; bijbelse voorstellingen, landschappen met schepen en molens, taferelen van de walvisvangst en andere komen voor. Stoelen tonen soms kleine bloempjes op crême fond. De zeldzame Amelander meubels, meest lage hoekkastjes en bedbankjes, hebben overwegend beschildering van bijbelse taferelen waarbij dat van de Wijze en Dwaze Maagden veel voorkomt; ook is de walvisvangst menigmaal uitgebeeld. De bedbankjes worden Zaanredamse bankjes genoemd, en het is niet onwaarschijnlijk dat Zaandam vroeger een grote industrie van beschilderde meubels heeft gehad.

Tot besluit van deze zeer summiere aanduidingen zij vermeld dat meubels met authentieke beschildering tot de zeldzame vogels behoren. Laat u niet verleiden tot kopen door een prachtige bonte tooi alvorens u terdege van de echtheid te vergewissen.

AANSCHAF EN ONDERHOUD

Het spreekt vanzelf dat een meubel van honderdvijftig of meer jaren oud gebreken kan vertonen. En aangezien het niet alleen als pronk maar ook als gebruiksstuk zal moeten dienen, gaat u zich bij de aankoop terdege vergewissen van de deugdelijkheid. Anders loopt men kans onmiddellijk al in restauratiekosten te vervallen. Beziet u dus het meubel aan alle kanten: van voren en op zij, van achteren en van onderen. Stoelen kunt u omkeren, kleine tafels misschien ook; kasten en kisten moeten vooral van binnen worden bekeken; deuren en kleppen dienen geopend en gesloten, laden heen en weer geschoven te worden. Bij opgelijmde meubels lette men op de toestand van het fineer; wanneer dit barsten vertoont, betekent dit restaureren.

Verder hoede men zich altijd voor houtworm. U kent de kleine ronde gaatjes die dit beestje (een kevertje en geen worm) als sporen van zijn werkzaamheid achterlaat; ze zien er heel onschuldig uit, maar elk gaatje betekent een gang die met kronkels en bochten diep in het hout wordt geboord en een flink aantal van deze gangen ondermijnen het meubel. De aanwezigheid van deze gaatjes duidt niet noodzakelijkerwijs op die van houtworm, want die is vaak al lang verwijderd. Maar komt er om die gaatjes een beetje pulverachtige stof of vindt u ergens in of onder het meubel een klein hoopje pulver, dan is dit een bewijs dat de gravers hun werk verrichten. Gelukkig is houtworm te verdelgen. Lichte gevallen kan men zelf behandelen met een preparaat dat bij de drogist verkrijgbaar is; voor alle andere moet het meubel een behandeling ondergaan bij een deskundige.

Het kan ook voorkomen dat een stuk in vroeger tijd een restauratie heeft ondergaan. Meestal is die vakkundig en degelijk uitgevoerd, zodat men daarvan geen hinder zal ondervinden. Maar het is goed te weten dat er iets aan het meubel gebeurd is. Bij stoelen vooral vindt men wel oude breuken aan poten, stijl- of regelwerk. Ook is van sommige meubels wel eens een onderdeel vernieuwd: bolpoten van kasten zijn haast altijd nieuw; die hadden veel te lijden van het gewicht van de kast, van stoten en van vocht. Bij de 17e eeuwse stoelen zijn de onderstukjes der poten, die veel sleten door het heen en weer schuiven, heel vaak vernieuwd; verder ook wel eens een hele poot of de voetregels. Dat de originele stoelbekledingen vaak niet meer aanwezig zijn spreekt haast vanzelf. Van tafels hebben blad en voetregel het meest te lijden gehad, zodat die vaak niet origineel zijn. Aan kisten en kasten treft men wel nieuwe panelen aan, vooral aan de zijkanten; komt er snijwerk op voor dan maakt een vergelijking wel uit welk het vernieuwde paneel is. Wat lastiger is het te zien of een gesneden kastfries is vernieuwd; dit wil wel eens voorkomen. Vaak verraadt de lichtere kleur van het hout het verschil, maar dit is soms bijgebeitst.

Copieën zijn voor een ongeoefend oog moeilijk te onderscheiden van originelen. Het meubel kan te gaaf, te hard van profiel en ornament wezen, maar soms is hieraan opzettelijk geschaafd om het een allure van ouderdom te geven. Zelfs slijtages worden wel eens kunstmatig aangebracht. Ze komen natuurlijk voor op de plekken waar het meubel vaak wordt aangepakt, en men zal er goed aan doen een antiek stuk niet alleen te bekijken maar ook te hanteren. Constateert men dan dat de slijtagesporen op een andere plek zitten dan logischerwijs kan worden verwacht, of dat ze overmatig zijn geaccentueerd, dan is het zaak op zijn hoede te wezen.

Dit alles is natuurlijk geen schering en inslag, maar er wordt melding van gemaakt opdat u weet dat zoiets kán voorkomen.

Wie bij een antiquair koopt behoeft zich hierover geen zorg te maken, want deze levert een meubel niet in slechte toestand af en hij zal u ook veelal precies zeggen wat er aan gerepareerd of eventueel vernieuwd is. Maar op een verkoping b.v. zult u zelf terdege moeten opletten.

Het is natuurlijk niet uitgesloten dat een bij aanschaf in goede staat verkerend stuk na verloop van jaren een mankementje gaat vertonen. In dat geval is het raadzaam om er een bekwame meubelrestaurateur bij te halen. Het moet ten stelligste worden ontraden restauratiewerk van antieke meubels in handen te geven van anderen, hoe bekwaam die in hun vak ook moge zijn. De behandeling van deze meubels eist nu eenmaal een speciale vakkennis.

De toestand van uw antieke meubels zal veel afhangen van de behandeling die u ze geeft. Plaatst u ze vooral niet te droog en niet te vochtig; wrijf ze niet te veel; een paar maal per jaar is genoeg en dan met was van goede kwaliteit, die vloeibaar mag zijn om goed te kunnen intrekken; verdun ze met goede ouderwetse terpentijn. Gepolitoerde meubels behoeven slechts eens per jaar gewreven te worden. Voor gefineerde en gemarketteerde meubels is centrale verwarming fataal; zorg voor extra vochtverdamping en zet het stuk nóóit te dicht bij de radiator.

Mogelijk zult u over dit waarlijk zéér uitgebreide onderwerp der meubelkunst nog wel eens iets nader willen weten. Voor dat geval worden de volgende boekwerken aangeraden:

Beknopt en handig om mee te beginnen zijn drie Heemschutdeeltjes van W. van der Pluym: Het Nederlandse binnenhuis en zijn meubels 1450–1650, 1650–1750, 1750–1800 (1946 en 1951). Deze boekjes zijn verwerkt tot één groot deel: Vijf eeuwen binnenhuis en meubels (1954).

Enigszins in dezelfde trant, maar minder uitgebreid is van J. J. Vriend: De bouwkunst van ons land, deel III, het interieur (1950).

Hoofdzakelijk plaatwerken zijn:
K. Sluyterman: Huisraad en binnenhuis in Nederland in vroeger eeuwen; de 2e druk dateert van 1948 maar niettemin is het boek hier en daar wat verouderd.

Reeds uit 1922 daterend, maar vol uitstekend platenmateriaal: C. H. de Jonge, Holländische Möbel und Raumkunst 1650–1780.

Van de laatste tijd (1950) dateert: A. Berendse: Het Nederlandse interieur van 1450–1820.

Over de 19e eeuw vindt u het een en ander in: P. Clarijs: Een eeuw Nederlandse woning (1942).

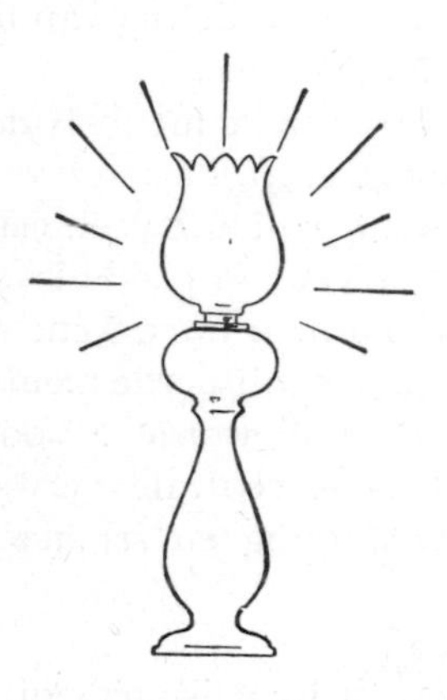

boven: tafel, eikenhout, 2e helft 17e eeuw. onder: speeltafel met Queen-Annepoten, mahoniehout, 2e kwart 18e eeuw.

l.b. stoel, iepenhout, midden 18e eeuw. r.b. armstoel, mahoniehout, 2e helft 18e eeuw.
l.o. korenaarstoel, iepenhout, omstreeks 1800. r.o. Biedermeier-stoel, mahoniehout.

boven: méridienne, mahoniehout, Biedermeier. onder: Biedermeier tafel, opgelegd mahoniehout.

boven: tinnen kinderserviesje, vroeg 19e eeuw. midden l. tinnen komfoortje, Empire. midden r. tinnen suikerdoosje, midden 18e eeuw. l.o. tinnen kan, midden 18e eeuw. r.o. tinnen kan, 18e eeuw.

Bruiloftsgeschenken

Herinnert u zich hoe het cadeau voor een koperen bruiloft aanleiding werd tot allerlei moeilijkheden, die op hun beurt weer aanleiding zijn geworden tot het samenstellen van dit boek? Nu, vroeg of laat komen wij allen voor dit probleem te staan: het kiezen van een bruiloftsgeschenk, waarmee niet wordt bedoeld dat voor de dag van de huwelijksinzegening. Aanstaande echtgenoten maken het ons met hun lange wenslijsten niet moeilijk; maar na verloop van jaren zijn de verlangens minder talrijk en staat de schenker vaak voor een lastige vraag. Waarom dan niet eens rondgezien bij de antiquair? Daar vindt men zeker iets dat mooi is en apart, en vaak nog bruikbaar bovendien. Laat ons dus iets gaan zoeken voor de tinnen bruiloft.

DE TINNEN BRUILOFT

Alles wat er op het gebied van tin te koop is, behoorde – kerkelijke voorwerpen uitgezonderd – tot het alledaagse gebruiksgoed. De redenen waarom oudtijds zoveel tin gebruikt werd, waren vooral van negatieve aard: het was niet heel kostbaar en niet schadelijk voor de gezondheid. Dit weke metaal, met de glans van zilver, is echter niet stevig genoeg om in zuivere toestand te worden verwerkt. Daarom maakt men een legering of alliage, hetgeen betekent dat er een ander metaal aan wordt toegevoegd. Een kleine dosis lood maakt het tin harder en beter bruikbaar. Fijn tin noemt men het dan. Wordt er meer lood toegevoegd, dan spreken we van keurtin. Omdat lood goedkoper is dan tin, werd er vaak teveel van dit materiaal bijgemengd; ja, er werd zelfs in de goede oude tijd op schandelijke wijze mee geknoeid. Wanneer u dus een loodzwaar tinnen voorwerp aantreft, weet u wat er aan de hand is!

Natuurlijk werden er allerlei verordeningen gemaakt om knoeierijen tegen te gaan. De tingieters zetten op de door hen vervaardigde voorwerpen een gehaltemerk. Voor fijn tin was dit, sinds omstreeks 1550, een roos; voor werk van ouder datum een hamer. Boven de hamer of de roos staat vaak een kroon met de initialen van de gieter en soms, maar heel zelden, een jaartal. Voor keurtin werd ook wel het stadswapen gebruikt met initialen. Op werk uit de 17e eeuw staat een kleine roos, die groter wordt in de 18e eeuw, waarin bovendien meer variatie komt in de merken. Behalve de roos zien we dan het engeltje; dat wijst op een prima kwaliteit geheel zonder lood, maar met wat koper of antimonium; dit is het zgn. „Engels" tin hetgeen wil zeggen: op Engelse manier ge-

legeerd. Soms zijn er vier merkjes (als op zilver): een engeltje voor de kwaliteit, het wapen van de stad, de initialen van de maker en een sprekend teken dat hierop betrekking heeft, b.v. voor Cornelis Ploeg C P en de afbeelding van een ploeg. Ook komt een X met een kroon in kombinatie met de vier merken voor. Initialen los van deze merken staande, b.v. op de rand van een bord, het deksel van een kan, zijn geen merken maar duiden op de naam van de eigenaar aan wie het stuk behoorde. Tot zover de gehaltemerken. Wat voor zin hadden die, als de gieter ze zelf aanbracht? Wel, bij de tingietersgilden waren keurmeesters aangesteld; de merken werden afgedrukt op gildeplaten en de namen van de gieters stonden geregistreerd. De keurmeester kon dus aan het merk zien, wie de maker van een stuk was; en wanneer hij ontdekte dat het gebruikte metaal van ondeugdelijke kwaliteit was, zag het er voor de gieter niet best uit. Jammer genoeg zijn die gildeplaten, en ook de naamregisters, bijna alle verloren gegaan, zodat de meeste merken ons niets onthullen omtrent de maker of het juiste jaar van ontstaan. Dan moet de stijl van de voorwerpen dus maar uitkomst brengen? Maar dit is ook al niet zo eenvoudig, en wel om de volgende reden:

In de regel werd tin gegoten. Hiertoe wordt het metaal verhit tot smelttemperatuur en laat men de vloeibare materie in bronzen gietvormen lopen. Deze gietvormen waren heel kostbaar en bleven in de zaak van de tingieter bewaard; ze gingen over van vader op zoon, van eigenaar op eigenaar. Zo komt het, dat bepaalde vormen generaties lang werden afgegoten, en er dus in het tin veel traditionele modellen bestaan, wat alweer de datering heel moeilijk maakt. Zelfs heden ten dage worden nog oude vormen gebruikt. Ook de stempels voor het inslaan van de merken bleven bewaard, en het was soms zo verleidelijk om ze nog eens af te drukken. Dit alles maakt dat het beoordelen van tin geen eenvoudige zaak is. Hetgeen echter niemand verhinderen zal eens te gaan zien wat er alzo kan worden gekocht.

In de eerste plaats die voorwerpen die het meest uit tin werden vervaardigd: eet- en drinkgerei. U kent de borden en kannen, die een sieraad vormen in onze interieurs en die bovendien zo geschikt zijn te worden gebruikt als fruitschaal of bloemenvaas. Borden waren er in ontzaglijke hoeveelheid en zijn nog best te krijgen. Wanneer u iets héél bijzonders wenst, koop dan niet een gegoten, maar een gehamerd bord als zilver uit de metalen plaat gedreven. Voorbeelden hiervan vinden we onder de zgn. kardinaalsborden met heel brede, vlakke rand en een klein, enigszins bol staand plat; het mooiste wat er op dit gebied te krijgen is. De overige borden zijn meestal gegoten en vaak niet heel oud: het weke tin krast en blutst gauw en wanneer de voorwerpen teveel uit hun fatsoen waren geraakt, bracht men ze naar de gieter, die ze omsmolt en opnieuw goot.

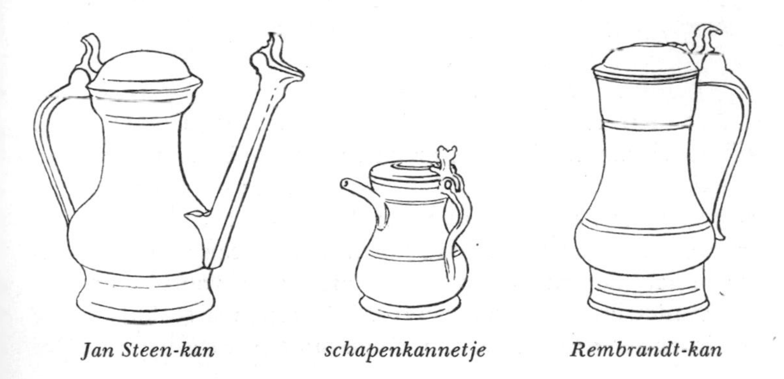

Jan Steen-kan *schapenkannetje* *Rembrandt-kan*

Hetzelfde geldt natuurlijk voor alle andere voorwerpen als b.v. kannen en bekers. De laatste variëren eigenlijk nooit van vorm, sterk gelijkend op die der zilveren avondmaalsbekers. Vindt u een gegraveerde beker, dan hebt u een bijzonder stuk, vooral wanneer de voorstelling een ruiter te paard te zien geeft: dit is dikwijls de koning-stadhouder Willem III. Kleine kinderen en zieken dronken uit tuitbekertjes of -kannetjes, de zgn. schapenkannetjes. Kannen variëren veel in model. Uit de 17e eeuw stammen twee typen: de Jan Steen-kan met lange schenktuit door een klepje afgesloten – zo genoemd omdat er op schilderijen van die meester vaak kwistig en met zwier uit wordt geschonken – en de Rembrandtkan van enigszins gelijk model zonder tuit, die met deze schilder totaal niets te maken heeft, maar nu eenmaal zo wordt genoemd. De benaming eikeltjeskan duidt op de twee eikels, die soms als versiering zijn aangebracht op de duimrust, dat is het uitsteekseltje aan het dekselscharnier; bij late modellen worden die meestal niet gevonden. Dat uit kannen zowel werd gedronken als geschonken is bekend van schilderijen en door een oudhollands spreekwoord.

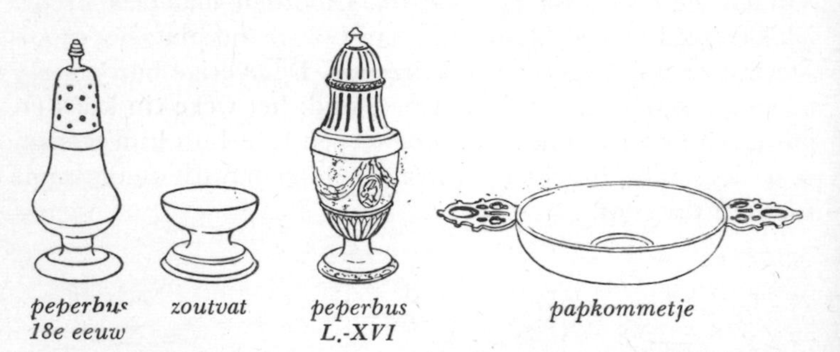

peperbus 18e eeuw — *zoutvat* — *peperbus L.-XVI* — *papkommetje*

Tot diep in de vorige eeuw gegoten naar het oude model zijn lepels met rond blad en rechte steel, die in doorsnee rechthoekig, zes- of achtkantig kan zijn of rond; dit laatste model is het oudste, en soms aan het uiteinde bekroond met een eikeltje, een klaverbladachtig ornamentje, een apostelfiguurtje of iets dergelijks. Kostbaar waren deze voorwerpen volstrekt niet: in de vorige eeuw 12 à 13 cent per stuk en, als ze na intensief gebruik waren omgesmolten 15 à 18 cent per dozijn. Zelfs bij een veel hogere waarde van de cent is dit goedkoop in vergelijk met wat men er nu voor betaalt. Op het platteland bleven ze in gebruik. Zeker uit de 19e eeuw zijn de, minder vaak voorkomende, ovale lepels. Men hoort ze wel eens vrouwenlepels noemen, en de mannen zouden dan met de ronde modellen eten; deze bewering steunt op geen enkel gebruik of op een traditie.

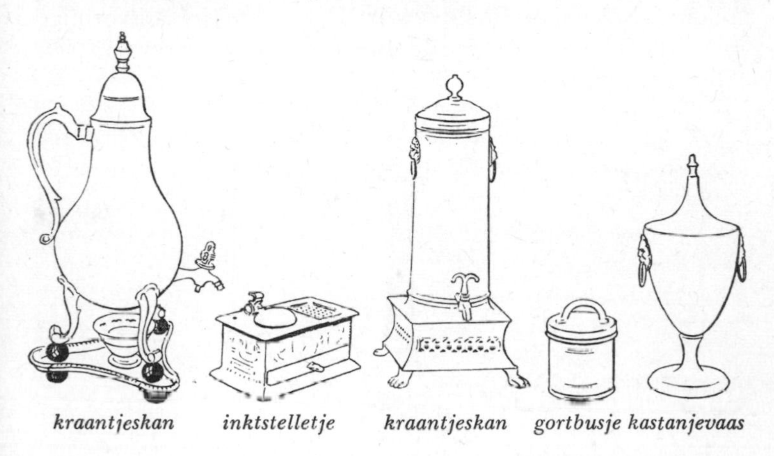

kraantjeskan *inktstelletje* *kraantjeskan* *gortbusje* *kastanjevaas*

Tot het eetgerei behoorden ook de papkommetjes of moeskopjes, ronde bakjes met één of twee oren, ook wel gebruikt als brandewijnkommetjes en heden ten dage als asbakje dienst doende. Hun oorspronkelijk gebruik trouw gebleven zijn de peperstrooiers, die nog betrekkelijk veel worden gevonden, en de schaarse zoutvaatjes. Olie- en azijnstellen zijn er ook; de glazen flesjes werden veelal vernieuwd. Zeldzamer zijn aardappel- en groenteschalen. Bijzonder bekend daarentegen de koffie- en kraantjeskannen, die wij meestal neerzetten als versiering. Er zijn er ontzettend veel, dikwijls gloednieuw, want ze worden, als typisch voorwerp van Nederlandse gezelligheid, nu nog in grote getale gemaakt, behalve de Lodewijk-XVI modellen, cylindervormig met bijbehorend vierkant komfoor. Ouder dan 18e eeuws zijn ze nooit; de meeste stammen echter uit de vorige eeuw. Ze werden in twee delen gegoten, een onder- en bovenstuk. Aan de binnenkant is duidelijk te zien waar de beide stukken op elkaar zijn gesoldeerd. Uit de Biedermeiertijd dateren de buikige theepotten, die nu nog worden gemaakt.

De vormen der kandelaars maken in hoofdzaak dezelfde stijlontwikkeling door als die, welke in zilver voorkomen, maar zijn in de regel wat soberder van ornament. Het zijn meest 18e en 19e eeuwse modellen die voorkomen: de sterk gelede uit de Lodewijk-XIV stijl, die met schroeflijn uit de Lodewijk-XV, en, uit de Lodewijk-XVI en Empire zuilvormige op vierkante voet, die in de Biedermeier de vorm van een baluster aannemen.

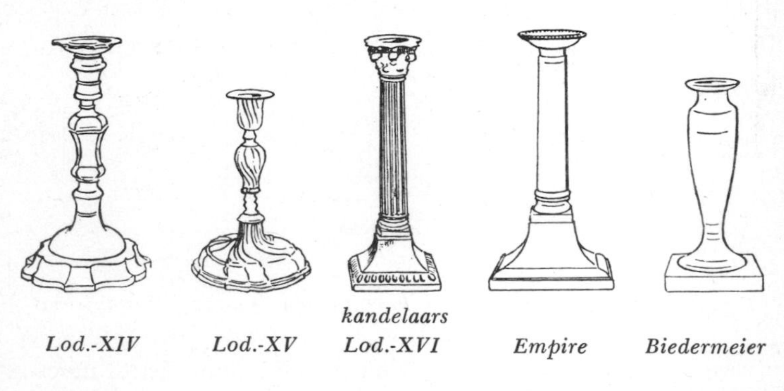

kandelaars

Lod.-XIV *Lod.-XV* *Lod.-XVI* *Empire* *Biedermeier*

De 18e eeuwse voorkeur voor Japans lakwerk deed zich ook bij het tin gelden; het werd toegepast op koffiekannen, tabakspotten, kandelaars en kastanjevazen. Echt uit de 18e eeuw en dan van een prachtige, bestorven kleur, is het zeldzaam; veelal dateert het uit de Empire- en Biedermeiertijd of later. Tabakspotten komen voor in Louis-XIV, -XV en -XVI stijl, de laatste met reliëfversiering van guirlandes en medaillons voorzien. De decoratieve dekselvazen met oren op hoge voet waarin hete kastanjes werden opgediend en die steeds paarsgewijze voorkomen, prijken bij ons op schoorsteenmantels, kastjes, trumeaux en wat dies meer zij. De voorwerpen van gelakt tin moeten niet worden verward met die van beschilderd of gelakt blik, in de 19e eeuw veel gemaakt, b.v. presenteertrommeltjes; in de regel zal men echter het verschil in materiaal gemakkelijk onderkennen.

Meer alledaags, en daarom nooit gelakt, zijn de maatjes

voor vloeibare stof, oorspronkelijk buik- later cylindervormig met schenkmond. Langs de bovenrand ziet men vaak een groot aantal merkjes; dat zijn ijktekens. Voor wie hiervan verstand heeft, is de datum van het voorwerp af te leiden en zelfs de plaats waar het gemaakt is. De tinmerken vindt u op de bodem van deze maatjes. Het aardigst is om ze in serie compleet te hebben; ze zijn zo ook het meest waard. Een bijzonder leuk bezit is een inktstelletje, rechthoekig, vierkant of rond, dat als versiering of voor gebruik kan dienen. Het heeft een inktkokertje en een zandstrooier voor het drogen van de inkt, omdat er nog geen vloeipapier bekend was, en al of niet een laatje voor ouwels voor het dichtplakken van brieven. Er zijn veel quasi-antieke, zodat uitkijken alweer geboden is.

tabakspotten

Lod.-XIV *Lod.-XV* *Lod.-XVI*

En tenslotte enkele dingen van nog eenvoudiger karakter: gortbusjes, dat zijn cylindrische busjes afgesloten door een schroefdeksel met hengsel; in de vorige eeuw waren ze nog in gebruik om gort te koken „au bain marie", ook dienden ze om boter in te doen. En nu zetten we ze in de huiskamer te pronk. Met bedkruiken gebeurt dit nog niet, maar het zal wel niet lang meer duren eer ze tot siervoorwerpen worden verheven. Deze eer is de nachtspiegels al wel te beurt gevallen. Misschien is het niet behoorlijk, maar toch nuttig om hier even over uit te wijden. Eigenlijk zou de naam van Jan Steen met recht aan deze objecten verbonden kunnen worden, want zo één schilder ze als onderdeel van het huisraad heeft afgebeeld is hij het. De 17e eeuwse modellen zijn hoog, nauw en buikig, met smalle rand; de 18e eeuwse zijn veel minder hoog en wijder, met brede rand. Tenslotte wordt de vorm nog wat meer gedrongen en onder de rand sterk ingesnoerd; dit gebeurt in het laatst van de 18e eeuw en in de 19e eeuw. De zeer platte bedmodellen behoorden in de ziekenkamer thuis. Dit alles wordt genoemd omdat deze instrumenten dikwijls, van het oor ontdaan, worden verkocht als bloempot; vaak is de rand dan golfvormig omhoog geslagen. Vindt u dit fraai?

serie maatjes

Dit is dan wel het meest voorkomende, ofschoon nog lang niet alles. Er is dus genoeg en men behoeft heus niet de door ouderdom en zeldzaamheid meest exclusieve stukken te kopen; die horen trouwens ook meer thuis in de collectie van een museum of verzamelaar. Maar we moeten er wel op letten dat we niet vol trots thuiskomen met een 17e eeuwse kan, die achteraf blijkt 25 jaar geleden gemaakt te zijn! Ook hier geldt: vertrouwen in de handelaar enerzijds en anderzijds grote oplettendheid, waarbij de volgende punten vooral uw aandacht moeten hebben:

De merken: Deze kunnen zijn nagebootst, hetgeen soms haast niet valt te constateren.

Beschadigingen en slijtages: Oude voorwerpen zijn niet altijd gaaf; op de plekken waar ze veel worden aangeplakt of waar ze wrijving hebben met andere voorwerpen (tafelblad, wand, enz.) vertonen ze afslijtingen. Zéér sterke slijtplekken zijn niet altijd tekenen van hoge ouderdom; ze zijn dikwijls kunstmatig, b.v. met een vijl of mes aangebracht. Neem het voorwerp vooral in de hand; u zult dan de afgesleten plekken voelen daar, waar het wordt aangevat; imitatie-slijtage is vaak op zeer onlogische wijze aangebracht. Omgekeerd bewijst gaafheid volstrekt niet dat een voorwerp niet oud zou wezen; het kan immers weinig of voorzichtig zijn gebruikt. Een bijzonder scherpe blik is dus wel nodig.

De patina: Tin krijgt in de loop der tijden een verweringslaag of patina, van zwart-grijze kleur, enigszins glanzend. Deze patina, het werk van eeuwen, wordt wel eens kunstmatig aangebracht. Ze is dan wat grijzer en gemakkelijker te verwijderen (met citroenzuur).

De draaikringen: Ronde voorwerpen ondergaan na het gieten een nabewerking op de draaibank; hierdoor ontstaan aan de onderzijde kringen, de zgn. draaikringen. Bij nieuwe voorwerpen zijn deze fijner en regelmatiger dan bij oude, hetgeen verband houdt met de grotere snelheid van de moderne draaibank.

Nu nog iets over het onderhoud. Als u van een gepatineerd voorwerp houdt, kunt u het af en toe opwrijven met een beetje was. Wilt u het metaal glanzend en blank, dan is het raadzaam de laag door een vakman te laten verwijderen. Verder kunt u het voorwerp dan zelf schuren (altijd in één richting of in het rond) met het risico van krassen; of poetsen met krijt en olie; wegzetten in petroleum of ophangen in zacht kokend water met wat hooi zijn middelen tot het verwijderen van aanslag. Voor het wegmaken van deuken en andere beschadigingen wende men zich liever tot de vakman. Behoed uw tin voor vallen en stoten, en behoed het ook voor koude. Wanneer het hieraan is blootgesteld wordt het ziek; het krijgt de zgn. „tinpest". Eerst begint het oppervlak een soort puisten te vertonen, die spoedig tot poeder uiteenvallen en een gat achterlaten. Deze ziekte is bovendien nog besmettelijk, zodat u de patiënt dient te isoleren van zijn soortgenoten.

Is dit u voldoende om u te kunnen wagen aan het aankopen

van tin? Zo niet, leest u dan nog eens de volgende boeken:
A. J. G. Verster, Tin door de eeuwen (1954)
K. Berling, Altes Zinn (1920)
Het een en ander over tin vindt u ook in het boekje over Oude ambachtskunst door J. G. N. Renaud (1943).

DE KOPEREN BRUILOFT

Wanneer een echtverbintenis zich tot het achtste deel van een eeuw heeft bestendigd, wordt het een koperen feest. Er is stellig een gradatie in waardering bedoeld in de opeenvolging van de metalen tin, koper, zilver en goud. Maar het is mogelijk, dat uw persoonlijke smaak vooral uitgaat naar de warme glans van het koper; en het is zeker, dat een voorwerp van deze materie aan onze interieurs gezelligheid verleent. In praktisch alle vertrekken, ook in halls en gangen doet zo'n stuk koper het uitstekend. Dit geldt eveneens voor het stemmiger brons, dat met koper in één adem genoemd moet worden, omdat het één familie is.

Het metaal, dat in minerale toestand voorkomt, is rood koper. Een legering hiervan met tin geeft brons; uit een alliage met zink ontstaat geel koper of messing. Het woord brons heeft een eerbiedwaardige klank: het doet denken aan imposante monumenten, aan de plechtige galm van kerkklokken, aan de bronstijd, het oeroude tijdperk gelegen tussen het late neolithicum en de ijzertijd. Het woord koper roept associaties op van heel andere aard: het beeld van oude keukens, van binnenhuizen en stillevens uit de 17e eeuw en eerder. Maar het is toch niet zo, dat bronzen voorwerpen persé ouder of kostbaarder zijn dan koperen. Vaak genoeg zien we dezelfde dingen uit dezelfde tijd in brons en in koper uitgevoerd.

Brons is te hard om te smeden; het wordt gegoten. Koper kan worden gegoten door de geelgieter of door de koperslager worden geslagen, dat is met een hamer uit de metalen plaat geklopt. Soms worden onderdelen apart gegoten of geslagen en aaneen gesoldeerd. In tegenstelling tot de tingieters en de zilversmeden zetten de bronsgieters bijna nooit merken op hun werk. Treffen we er een enkele keer een aan, dan zegt dit ons niets. Men moet dus de voorwerpen geheel op vorm en stijl dateren, en dit is vaak heel lastig. Ook het land van herkomst is dikwijls moeilijk te bepalen. Er waren belangrijke centra van kopergieters zoals b.v. Dinant, waarom wel eens van dinanderie wordt gesproken; dit woord is echter meer een verzamelnaam dan dat het op een bepaalde herkomst wijst.

Maar laat ons nu eens gaan zien, wat er alzo van onze gading zijn kan.

Archeologische voorwerpen uit de prehistorie zijn te zeldzaam om nog in de kunsthandel te worden aangetroffen. Ook de bronzen der oude Chinezen, der Egyptenaren, Grieken en Etrusken zullen we hier liever terzijde laten als zijnde te kostbaar. Wat nog wel eens een enkele keer voor niet al te hoge prijs kan worden verworven is een stukje Romeins: een godenbeeldje van eenvoudige makelij, een gebruiksvoorwerp of een fragment daarvan. Onbereikbaar voor een gewone beurs zijn weer de beeldjes van de beroemde meesters uit de Italiaanse renaissance. Wat het meest en het gemakkelijkst wordt gevonden zijn voorwerpen voor huiselijk gebruik.

lavabo

Maar middeleeuwse stukken uit deze categorie zijn zeldzaam en de prijzen dus navenant. Wat men nog wel eens kan vinden zijn wasbekkens voor het reinigen van de handen. Ze hingen aan een hengsel, en als men ze kantelde liep het water uit een tuitje over de handen heen. De oudste, aquamanil genoemd, hebben de vorm van een leeuw met een opening in de rug en het tuitje in de bek. Ze komen voor van de Romaanse tijd tot in de 14e eeuw. Daarna hebben ze de vorm van een ketel met twee tuiten en hoge, opstaande rand en heten dan lavabo. Op het Mérode-altaar (beroemd schilderij uit de 15e eeuw van een Zuidnederlandse meester) staat er een afgebeeld.

Ook nog uit de Romaanse tijd overgebleven zijn kandelaars. Deze voorwerpen bestaan in de regel uit een voet, schacht, vetvanger en kaarshouder. De Romaanse vorm is gedrongen: op drie pootjes rust de vetvanger en daarboven rijst de korte schacht eindigend in een pin, waarop de kaars wordt gestoken.

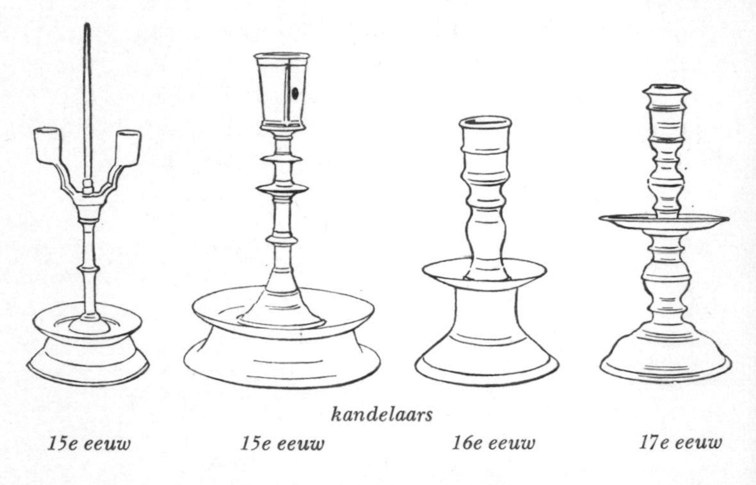

kandelaars

15e eeuw *15e eeuw* *16e eeuw* *17e eeuw*

Een ander type Romaanse kandelaar is de dierenkandelaar in de vorm van een leeuw, hertje, monster of menselijk figuurtje. De gothische kandelaar is slank van vorm; eerst rust hij nog op drie voetjes; daarna wordt de voet een hoge, ronde schijf die tegelijk dienst doet als vetvanger; deze voet steunt op drie leeuwtjes of rust direkt op de grond. Langzamerhand wordt de voet minder zwaar en komt er een aparte vetvanger aan de schacht, waaraan verdikkingen zijn aangebracht, eerst één, later meer, van ringen of knopen; deze hebben niet alleen een esthetische maar ook een praktische bedoeling: zo kan men de kandelaar beter aanvatten. De kaarshouder is of een pin, of een holle ring. In de renaissance verandert de stam met knopen in een balusterstam en de 17e eeuwse vorm wordt: ronde, gewelfde voet — balusterstam — vetvanger (soms in het midden van de stam, soms bovenaan) — kaarshouder: de zgn. kraagkandelaar. De vormen uit de 18e eeuw zijn als die van het tin en zilver. Uit de 17e en 18e eeuw stammen de wandblakers met ajourbewerkt achterschot.

wandblaker

Nu verlichtingsartikelen ter sprake komen, denken we natuurlijk dadelijk aan kronen. Niet uitsluitend kerkkronen waren er, maar ook die in de huizen dienst deden, getuige de schilderijen der oude meesters, zoals het in 1434 geschilderde Arnolfini-portret door Jan van Eyck en de interieurs der Hollandse schilders uit de 17e eeuw. Gothische kronen hebben een zware, door ringen gelede stam, die soms wordt bekroond door een figuurtje en van onderen eindigt in een kop. De armen zijn vertakt als ranken met puntig, gothisch bladwerk. In de renaissance nemen de armen voluutvormen aan; de stam blijft dik en door ringen geleed. Maar in de 17e eeuw is de stam veel slanker en eindigt in een grote bol. De wandluchters die er uit zien als een over de lengte gehalveerde kroon zijn modern.

De mooie, uit de plaat geslagen met ajourwerk versierde lantarens, die men aan een ring kon ophangen of meedragen, zien we niet veel meer. Een enkele keer komt een 18e eeuws exemplaar nog voor. In de vorige eeuw zijn ze door het goedkopere en minder fraaie blik vervangen.

Wat zelfs nu nog in veel huishoudens voorkomt is de gewone, geel koperen vijzel. Als zoveel kopergerei zijn ze van gebruiks- tot siervoorwerpen verheven. Maar ongeveer tot in de 18e eeuw, toen niemand er aan dacht een vijzel voor iets anders te laten dienen dan voor het fijnstampen van kruiden e.d., waren deze voorwerpen veel rijker versierd. Ze werden gemaakt door de klokkengieters, en dikwijls tonen ze soortgelijke reliëfornamenten als torenklokken. De oude Italiaanse vijzels zijn beroemd, maar de Nederlandse mogen er ook zijn. Bekende gieters in ons land waren o.a. Segewin Hatiseren te Zutphen (16e eeuw), Hendrick ter Horst en Gerrit Schimmel te Deventer (17e eeuw), Franciscus en Petrus Hemony in Amsterdam (17e eeuw). Gothische vijzels (zeldzaam!) zijn hoog en slank van vorm, wat vaak geaccentueerd wordt door reliëfs met vertikale ribben; de oren zijn rechthoekig gebogen.

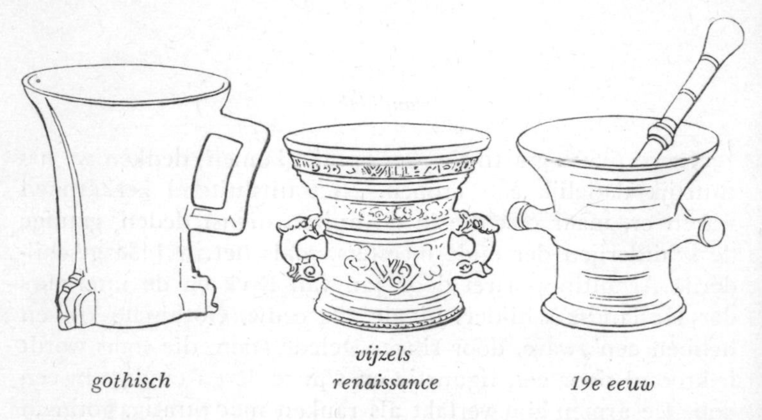

vijzels

gothisch *renaissance* *19e eeuw*

Die van de renaissance tonen een heel andere vorm: laag, met geprofileerde voet en dito wat overkragende bovenrand; de diameter van de mond is groter dan die van de bodem. De oren staan laag of op het midden van de wand en zijn vrij klein en gebogen, vaak in de vorm van een krul of een dolfijnachtig wezentje; heel dikwijls ook treft men geen oren aan. De versiering loopt in horizontale banden of friezen om het voorwerp in laag reliëf en is identiek aan hetgeen men op torenklokken vindt. Meestal zijn het arabesken, ranken met maskers, dieren, fabelwezens, vazen of wapenschildjes, echte renaissancemotieven; zo ook palmetten, zwijnenjachten, dansende kinderfiguurtjes, guirlandes. Daarnaast, of hiermee gecombineerd, zijn er ook ornamenten die eerder gotisch aandoen, met kruisbloemen en religieuze voorstellingen. De traditie in dit soort werk was bijzonder taai, want niet alleen in de 16e, ook in de gehele 17e en zelfs in de 18e eeuw zien we dezelfde soort modellen en versieringen. Op de bovenrand staan dikwijls opschriften in gothische of renaissanceletters (de eerste nog in de 17e eeuw in gebruik) met de naam van de gieter of die van de opdrachtgever, een Latijns of Nederlands opschrift: Soli Deo Gloria, Looft God vooral, en, wanneer een vijzel als huwelijksgeschenk was bedoeld: Amor vincit omnia, Liefde verwint alle dinc. Ook komt niet zelden een jaartal voor en dan is het verrassend om te zien hoe archaïsch deze vijzels kunnen zijn. De naam van de gieter kan worden opgezocht in het boek van Dr. D. A. Wittop Koning, „Nederlandse vijzels" (1953). De barokke stijl heeft geen vat op de ontwikkeling der modellen gehad. In het midden van de 18e eeuw worden ze wat hoger en verdwijnt de reliëfversiering; enkele gladde banden vormen voortaan het enige decor en de oren zijn rechthoekig gebogen maar vaker vervangen door twee knoppen. In deze vorm blijft de koperen vijzel tot in het begin van deze eeuw bestaan. Het gebeurt niet veel, dat bij de vijzels de stampers nog aanwezig zijn. Deze zijn één- of tweezijdig; de eerste, voorzien van een greep, zijn het zeldzaamst. De vroegere vijzels werden uit brons, de late uit messing gegoten. Net als bij kerkklokken goot men de vijzels uit één stuk; ziet men gietnaden, dan is dit een aanwijzing dat men met een imitatie te doen heeft, want die wordt gemaakt in matrijzen, dat zijn tweedelige gietvormen; ziet men opgesoldeerde versiering dan wijst dit eveneens op een nabootsing.

Evenals de vijzels nog te koop zijn grapen of Spaanse potten, aldus genoemd naar de pan met hutspot, die bij het ontzet van Leiden in het Spaanse kamp werd gevonden. Grote en kleine modellen komen voor: bolvormig, op drie pootjes, met lange steel of gesmeed ijzeren hengsel. Ze zijn haast nooit versierd of gedateerd. Het is zeker, dat ze omstreeks 1500 al bestonden en tot in de 17e eeuw zijn gemaakt. Doordat de vorm nooit is veranderd, is het haast ondoenlijk ze te dateren. Dezelfde modellen bestaan in roodbruin aardewerk. Hoedt u voor imitatie die veelvuldig voorkomt en vaak lastig is te onderscheiden.

grape of Spaanse pot

Als kleine torenklokjes zien tafelbellen eruit; ze zijn ook op dezelfde manier gegoten – als ze oud zijn. Maar er is veel namaak, die men herkent aan de veel grovere en minder zorgvuldige uitvoering en aan de gietnaden.

Uit de 15e–17e eeuw dateren de grote, ronde, geel koperen schalen, vermoedelijk collecteschalen, met reliëfversiering. Op het plat stond een religieuze voorstelling, vaak Adam en Eva of de Drie Koningen, en daaromheen staan letters, die soms alleen sierletters zijn en geen woorden vormen.

Koperen lepels zijn tamelijk zeldzaam. Ze hebben een rond blad en een rechte steel, bekroond door een apostelfiguurtje; druiventrosje of paardenhoefje en zijn vaak van Engelse makelij. Het tijdperk van ontstaan is 16e en 17e eeuw.

Men vindt nog wel oude gewichten van koper, met veel ijktekens. De meeste zijn conisch, zonder handvat. Niet zeldzaam zijn de houten doosjes met op de binnenkant van het deksel een mooi gegraveerd prentje, en gevuld met kleine koperen gewichtjes en een weegschaaltje. Ze dienden voor het wegen van munten. Erg decoratief, en daarom nogal gezocht en zeldzaam zijn de zgn. sluit- of pijlgewichten, als een stapeltje nest-

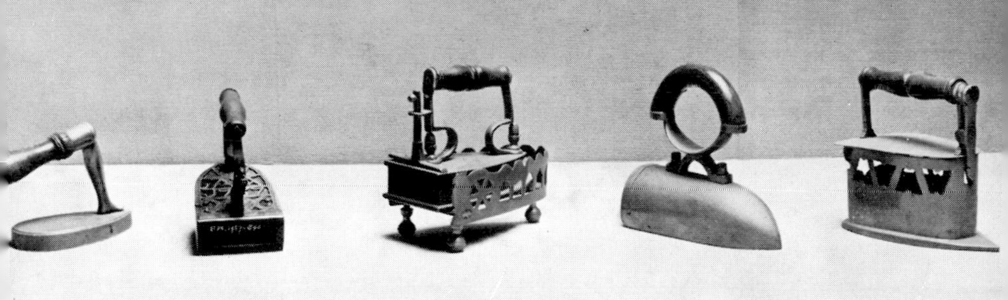

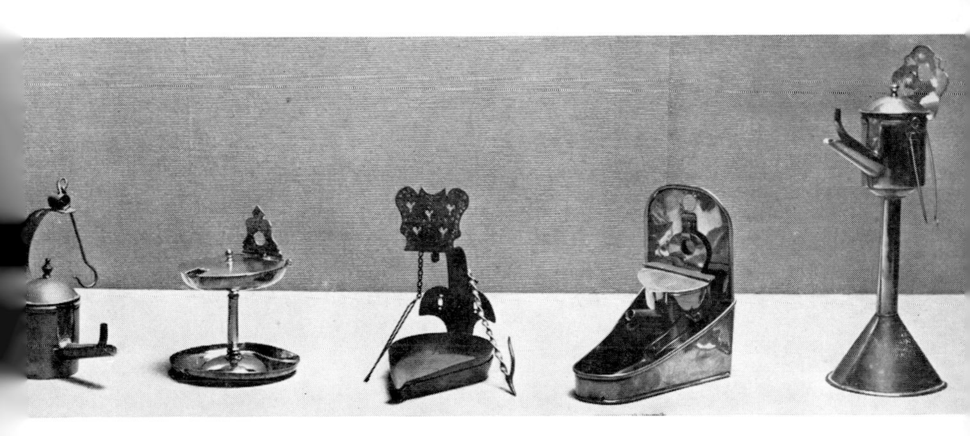

boven: strijkijzer 18e en 19e eeuw, 2e van links gedateerd 1787. midden: koperen komforen, 18e eeuw, 2e van rechts begin 19e eeuw. onder: olielampjes, 18e en 19e eeuw.

boven: koperen ketels, v.l.n.r. 18e en begin 19e eeuw, 18e eeuw, Biedermeier. midden: koperen doofpotten, v.l.n.r. begin 19e eeuw, Biedermeier, 18e eeuw. onder: melk-emmer - goteling - aker - erwtenpot.

boven: zilveren knottedoosje, 17e eeuw. onder: zilveren knottekistje, 1709.

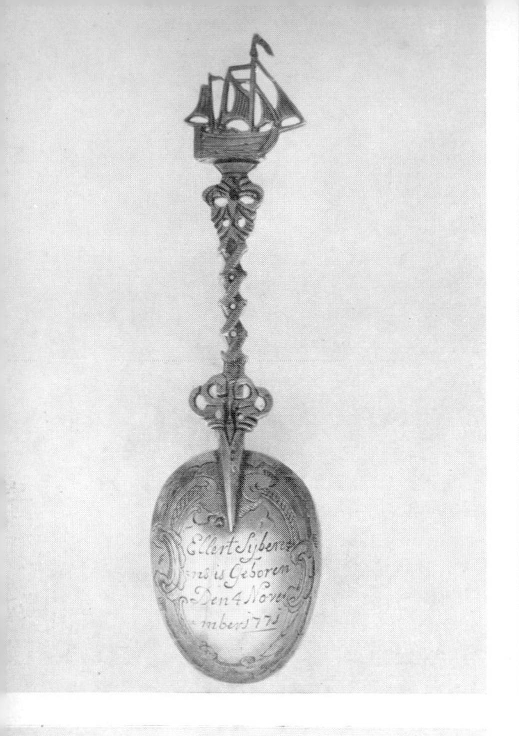

l.b. zilveren geboortelepel, gedateerd 1771. r.b. zilveren beker, 1648. l.o. zilveren kannetje, 1779. r.o. zilveren suikerstrooier, 1e helft 18e eeuw.

schalen – maar dan hermetisch – in elkaar passende gewichten geborgen in een omhulsel, het huis, van dezelfde vorm met een deksel, een sluitbeugel en een vaak prachtig bewerkt handvat in de vorm van een draak en menselijk wezen e.d.; de sluitbeugel toont een dierlijke figuur of zeemeermin. De gewichten, die dus de vorm hebben van een bakje, lopen van 4 lood tot aan 32 pond Amsterdams; er zijn dus hele grote en minuscuul kleine. Elk bakje is twee keer zo zwaar als het kleinere dat erin past en de twee kleinste wegen even veel. De fraaie bewerkingen aan het deksel komen alleen bij grote exemplaren voor; de kleine zijn heel eenvoudig. Deze pijlgewichten werden sinds de 16e eeuw in Neurenberg gemaakt. In de 17e en 18e eeuw zetten de gewichtenmakers die ze gegoten hebben, rechts van de sluitbeugel hun teken. Jammer genoeg zijn de stapels gewichten vaak niet compleet; de kleinste, en vooral het bovenste, massieve sluitstukje, zijn meestal weggeraakt.

sluit- of pijlgewicht

Goed antiek ook zijn wijnkoelers, ovale of ronde bakken, waarin de flessen met wijn werden gezet. Op oude schilderijen, die vrolijke gezelschappen voorstellen, staan ze wel eens afgebeeld. Knorren en andere ornamenten komen er op voor. Ze dateren uit de 17e en 18e eeuw, en bestaan ook in tin en zilver.

Wat men vaker ziet zijn koperen kraantjeskannen, dikwijls met drie kraantjes of van het bekende model, of cylindrisch op vierkant onderstuk; die zijn vroeg 19e eeuws.

Komforen zijn geslagen uit geel of rood koper. Zeldzaam zijn tegenwoordig de komvormige exemplaren op voetring; een houten steel is aan het komfoor bevestigd met een ijzeren haak, waarvan het spitse uiteinde in de steel is gedreven. Vaker treft men de modellen aan op drie voetjes met schuin opstaande geschulpte, en soms ajour bewerkte rand, die in oorsprong 18e eeuws zijn maar veel worden nagemaakt. Ovale of ronde komforen staande op een houten tabletje dateren uit de Empire- of Biedermeiertijd.

Bij verwarmingstoestellen denken we ook aan de bedwarmer of beddepan: een rond bassin met vaak mooi uitgesneden deksel aan een koperen of houten steel, die soms geslingerd is. Exemplaren uit de 17e eeuw zijn zeldzaam; veel dateert uit de 18e en 19e. Ze worden schaars doordat men ze vaak sloopt om de deksels te verslaan tot hangstukken voor wandblakers.

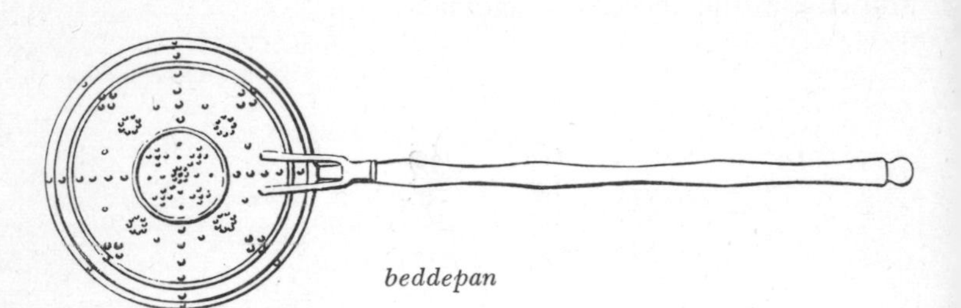

beddepan

Alle genoemde voorwerpen moeten wegens hun ouderdom of wegens het fraaie maaksel, of wegens beide, tot de categorie van vrij kostbare zaken gerekend worden. Nu volgt een reeks van eveneens gebruiksvoorwerpen die wat eenvoudiger zijn en dikwijls bestemd waren om in de keuken dienst te doen. Hieronder treft men antieke, uit de 17e en 18e eeuw aan, maar er is ook heel veel 19e eeuws goed bij. Tot ongeveer 1880 is koperen keukengerei in zwang gebleven. En uit de vorige eeuw is dit in massa's tot ons gekomen. Het oudere heeft door intensief gebruik, door schuren, door slijtage de eeuwen vaak niet doorstaan. De modellen van deze, laat ons zeggen instrumenten, waren zakelijk en zonder ornament; in de loop der tijden veranderden ze weinig. Dit maakt nauwkeurig dateren vrij lastig en in veel gevallen hebben wij de neiging tot overdateren, d.i. het stuk voor ouder aanzien dan het is. Het heeft vaak nut te letten op oude schilderijen en prenten; staat een voorwerp daarop afgebeeld dan weten we althans dat een bepaalde vorm in een bepaalde tijd in gebruik was. Er is bij dit alles veel wat afkomstig is uit boeren-interieurs. Het gebruik van koperen voorwerpen was echter volstrekt geen speciale gewoonte van het platteland; hoogstens is deze daar wat langer in zwang gebleven, zoals de pomp en het petroleumlicht, en daarvóór de olielamp.

Dit brengt ons op het chapiter lampjes: Er zijn tuitlampjes ook snotneuzen geheten, die zowel kunnen staan als hangen. Een lange poot, die van onderen uitloopt in een verzwaard voetstuk, draagt een cylindervormig omhulsel, waarin een oliebakje met een lange tuit geplaatst is; in de tuit steekt de pit en opzij van het omhulsel hangt een tangetje om deze pit aan te trekken. Ook zijn er de peervormige zonder voet, en hangend aan een haak; het tangetje hangt er aan een kettinkje bij. Verder nog andere variaties, waarvoor naar de plaat wordt verwezen.

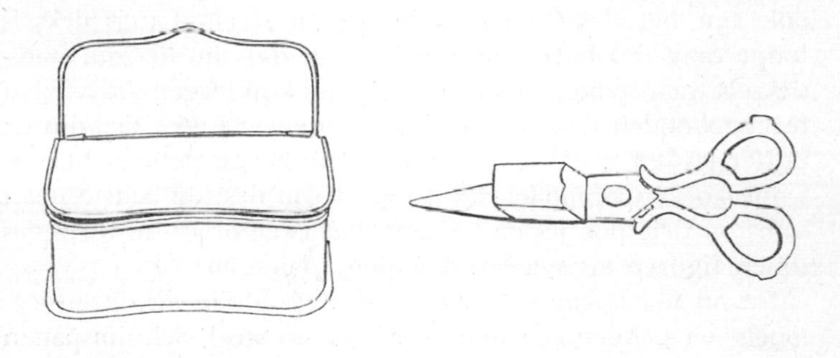

zwavelstokkenbakje *kaarsensnuiter*

Blakers behoeven zelfs heden ten dage geen beschrijving. Er zijn er van rond, langwerpig-, rechthoekig en ovaal model, met korte en lange schacht (die heeft dan vaak een gleuf, waarin een pennetje schuift waarmee men de kaars kan verstellen), met en zonder oortje. Ziet men veel onderdelen aan elkaar gesoldeerd, dan is er weinig hoop op hoge ouderdom.

Als ze compleet zijn is er de domper bij en de snuiter, een schaarvormig instrument voor het knippen van de pit.

Het ontsteken van licht en vuur gebeurde met zwavelstokken, die bewaard werden in zwavelstokkenbakjes, rechthoekige doosjes met opstaand achterschot om ze aan de muur te hangen. Ze zijn onversierd, hebben soms gezwenkte contouren; veelal 19e eeuws.

Boven het vuur hingen de ketels van rood of geel koper; soms zijn beide metalen gecombineerd doordat het hengsel contrasteert met de kleur van de ketel. De tuit is vaak met een scharnierend klepje afgesloten. De modellen zijn nooit cylindrisch zoals bij de moderne geëmailleerde ketels. De bolronde, wel appelketeltjes genoemd, deden als chocoladeketel dienst. Gelede vormen komen voor in de Biedermeiertijd. Hengsels en dekselknoppen van porcelein zijn uit de 19e eeuw. Antieke ketels zijn te herkennen aan de bodem: die is met zwaluwstaartsoldeersel ingezet.

Bij ketels behoren pannen. Ze zijn, als alle kookgerei, altijd van binnen vertind, en komen voor in rood en geel koper. Zeldzaam zijn de erwtenpotten, conisch van model met enigszins bolle bodem op drie pootjes. Oude steelpannen hebben ook aan het deksel een lange ijzeren steel. Langs deksels loopt vaak een hoge, opstaande rand; dat zijn de zgn. stoofdeksels waarop men gloeiende kooltjes kon leggen die werden tegengehouden door de rand. Wat men vrij veel ziet zijn de poffertjes- en evenveeltjespannen. De eerste hebben het gewone koekenpanmodel met ronde vormpjes; de laatste staan soms op drie pootjes en hebben dan twee oren; de vormpjes tonen figuren als sterren, schelpen, visjes, enz.

De bij het koken gebruikte scheplepels zijn als onze soeplepels, en hebben een houten of ijzeren steel. Schuimspanen zijn rond of ovaal en plat van vorm, met stelen van koper of ijzer, met hangoog. Aardig zijn de sla-emmertjes met breed hengsel; het model is in het midden het breedst en loopt naar boven en onder conisch toe. 's Nachts ging een kooltje vuur in de doofpot. Zij staan op drie pootjes en de meest voorkomende modellen zijn: een klokvorm (meestal rood koper en dan het deksel van geel) met insluitend deksel bekroond door een vaasvormig knopje; dikwijls ook ziet men conische modellen (vaak in geel koper) met omsluitend deksel; ze hebben een hengsel of oren. De balustervormige zijn Biedermeier of later.

Bij de haard behoren de ronde blokkenbakken en de, latere, kolenbakken. Hiervan hebben de vroegste het zgn. helmmodel. Kolenkitten en turfbakken met reliëfversiering ontleend aan schilderijen door Van Ostade moeten tot de moderne kitsch worden gerekend. Ook parapluiebakken horen hierbij. Tangen tonen nog al eens geslingerde stelen. Haardstellen met asscheppen en vegers met allerlei tierlantijnen versierd zijn uit de 19e eeuw. Min of meer hierbij behoren ook stoffers en blikken, die nooit eerder dateren dan uit de vorige eeuw.

Mooi door hun kloeke eenvoud zijn de strijkijzers (van koper!) met zware bodem en houten greep. Er hoort een stenen, later een ijzeren, bout in die in het vuur werd verhit. Ze zijn 18e en ook vaak 19e eeuws. Een heel enkele maal staat in het bovenvlak een uitgesneden jaartal. Het treefje of roostertje waarop ze behoren te staan ontbreekt haast altijd.

Enige aandacht moet ook worden gegeven aan de emmers, voor melk of water. Antieke melkemmers zijn cylindrisch, niet heel hoog, van boven versierd door een met nagels opgeklonken band. Hierbij moeten tegelijk de melkbussen genoemd worden, die de melkmeisjes zich met een doek op de rug bonden; de vorm is bol en loopt naar onder nauwer toe; bovenaan zit een oor. Tegenwoordig ziet men ook al de melkbussen met een kraantje en 2 oren, die nog niet zo heel lang geleden op elke melkkar stonden, als antiquiteit te koop! Negentiende-eeuws zijn de naar onderen smaller toelopende emmers; soms hebben die één platte zijde en dan stonden ze onder een gangkraantje tegen de wand. Bij deze koperen werkemmers behoort de glazenspuit, waarmee de ramen aan de buitenkant werden nat gespoten. Deze instrumenten (twee V-vormig op elkaar staande buizen, één met tuitje, één met houten pompje) zijn ook al siervoorwerpen geworden en prijken tegen wanden of in hoeken van vertrekken. Heel oud zijn ze niet, en er leven nog genoeg mensen die ze hebben zien gebruiken. Er zijn verder kleine emmertjes of akertjes die dienden als schepemmertjes bij de put; soms zit de koperen ketting er nog aan; hebben ze een bolle bodem, dan heten ze goteling.

Een echt boerenvoorwerp is de melkade, een lange, smalle, ondiepe bak van rood koper waarin de melk werd weggezet in de melkkelder om te worden afgeroomd. Deze in hun eenvoud prachtige stukken van geslagen koper zijn vooral tijdens de tweede wereldoorlog bij honderden van het platteland verdwenen, en ook nu al bij de antiquiteiten ingelijfd. Als siervoorwerp zijn ze tamelijk moeilijk te plaatsen en veelal is hun lot dat ze worden verslagen tot haardschermen met reliëfversiering!

De mooie geslagen afroomschalen, petielen, ziet men zelden meer. Wat er was aan schalen doet bij ons dienst al fruitbak of als wandversiering. Vele, diep of plat, zijn afkomstig van weegschalen. Soms ziet men de laatste ook wel compleet bij de antiquair voor zover ze niet nog in winkels worden gebruikt, hetgeen minder en minder het geval wordt. Daarmee vinden ook de vrij moderne koperen gewichten, cylindervormig met knop, hun weg naar de antiekhandel. Bij de schalen moeten we ook de scheerbekkens rekenen; af en toe kan men die nog wel eens als uithangbord bij een barbier zien: een schaal met kleine kom en platte rand waarin een inham voor de hals. Ook deze voorwerpen zijn meestal 19e eeuws.

Tenslotte nog de kleine koperen snuisterij-voorwerpjes; ze zijn niet antiek, maar uit deze eeuw of uit het laatst van de vorige.

Dit is dan zo het een en ander uit de grote menigte bronzen en koperen voorwerpen, waaruit we een keus kunnen doen. De kwestie van antiek en niet-antiek is hier en daar al ter sprake gekomen. Al zult u zich bij het doen van een koop in de eerste plaats laten leiden door uw persoonlijke smaak; wanneer het er toch ook om te doen is iets te krijgen dat echt antiek is, zal enige voorzichtigheid in acht genomen moeten worden. Het is ook in dit geval alweer: heel goed uitkijken en vooral in handen nemen. Evenals voor tin geldt, dat blutsen en andere beschadigingen niets bewijzen voor de ouderdom van het stuk. En wat over het kunstmatig aanbrengen van slijtplekken bij het tin gezegd is, behoeft hier niet te worden herhaald.

Wat het onderhoud betreft: op koper en brons vormt zich een verweringslaagje of patien, dat niet gauw dikker wordt, maar het metaal dof en donkerder maakt, zodat koper enigszins het uiterlijk krijgt van brons. Het is tegenwoordig haast mode om de patien niet te verwijderen en het moet gezegd, dat rood koper er bijzonder door wordt „geflatteerd". Hebt u het toch liever glanzend, dan poetsen, hetgeen voor geel koper zeker aan te raden valt, omdat dit er toch wel erg doods uitziet met patinelaag. Het kan ook gewassen worden in zeepsop, maar dan geen chemische wasmiddelen gebruiken en heel zorgvuldig afdrogen! Wie schoonmaken onplezierig en tijdrovend vindt, kan zijn koper laten politoeren, dat is bedekken met een laklaagje. Dit wordt helaas niet goed gedaan, zodat het middel meestal niet afdoende is. De groene oxydatie kan schadelijk zijn, althans voor koper. Het metaal wordt er meestal niet ernstig door aangetast en vaak beschouwt men voor brons de groene kleur als een sieraad. Van koper moet men ze liever verwijderen.

Om uw kennis op dit gebied nader te verrijken bestaan er niet veel boeken. Behalve in het reeds genoemde boek over vijzels vindt u het een en ander in: „Brons in den tijd", door A. G. Venster (1956); voorts een kort hoofdstuk in „Oude ambachtskunst" door J. G. N. Renaud (1943).

DE ZILVEREN BRUILOFT

En nu is dan het ogenblik aangebroken voor de aanschaf van een voorwerp uit edel metaal.

Zilver is edel, niet om zijn zeldzaamheid, want het wordt over de gehele wereld gevonden. Het is edel om zijn onaantastbaarheid en klare glans. Dit metaal laat zich met gedweeë soepelheid voegen tot elke vorm, strak of speels, ontsproten aan de fantasie van de ontwerpers, die vaak grote kunstenaars waren en meer dan gewone handwerkslieden. Zilveren voorwerpen vormen een klasse apart. Ze werden niet gemaakt ten dienste van alledaags gebruik: zij pasten niet op een ruw, geschuurd houten tafelblad of stenen aanrecht, maar dienden ter opluistering van met fijn damast gedekte tafels, van met velours gestoffeerde kamers, waar zij fonkelden als juwelen in een fluwelen schrijn. Van oudsher waren het voorwerpen van luxe en ook nu nog gebruiken wij ze bij voorkeur aan de feestdis of zetten we ze te pronk in zilver- of porceleinkast, op een antiek buffet of ander stijlvol meubel. We willen ze dan ook ongedeukt, ongeblutst, niet gekrast, glanzend en gaaf. Kostbaar zijn ze meestal, hetgeen niet zeggen wil geheel onbereikbaar. Verschillende aardige kleine dingen, overwegend afkomstig uit de 19e eeuw kunnen zonder grote financiële offers worden aangeschaft, zoals pepermunt- en reuk- of loddereindoosjes (verbastering van eau du Rhin; bevatten vroeger een in reukwater gedrenkt sponsje) thee- en moccalepeltjes, room- en compôtelepels, suiker- en theeschepjes, klontjestangen, strooilepels, naaldenkokers, pijpenkrabbers en allerlei andere gezellige dingen, die als gebruiks- of siervoorwerp overal welkom zijn. Wie graag met een zilveren lepel en vork eet kan bescheiden beginnen met de aankoop van één of meer 18e eeuwse couverts, die niet kostbaar zijn. Maar al het overige is alleen weggelegd voor hen die wat dieper in de beurs willen tasten. Dan is er ruime keus uit allerlei voorwerpen van huiselijke aard die uit de 18e eeuw dateren: theebusjes en ander klein theegoed, strooibussen, zoutvaatjes, olie- en azijnstellen en de zgn. geboortelepels. Wie heel veel te besteden heeft, kan overgaan tot de aanschaf van een gegraveerde beker, een theepot, kandelaar, komfoor, een ovale brandewijnkom, een huwelijkskistje. Monumentale stukken als kandelabers, drinkschalen, sierbokalen, schotels en kannen en ook achtkante brandewijnkommen zijn alleen nog bereikbaar voor musea en schatrijke verzamelaars.

Tot welke categorie aspirant-kopers u moogt behoren, en ook wanneer u zich tot die der kijkers rekent, u wilt zich waarschijnlijk graag goed op de hoogte stellen van alles wat er op dit gebied alzo bestaat. Ge kunt rondzien bij de antiquairs maar raadzaam is het om ook dìe musea niet over te slaan, waar een goed en systematisch overzicht wordt aangetroffen van hetgeen er in de loop der eeuwen voor schoons in dit metaal werd vervaardigd.

Wat het materiaal zelf betreft:

Zuiver zilver is door zijn zachtheid niet bruikbaar voor bewerking; gewoonlijk wordt het gemengd met koper, waarvan weinig nodig is om de gewenste hardheid te verkrijgen. In de meeste landen zijn de alliages wettelijk voorgeschreven; in Nederland is het eerste gehalte of grote keur 934 dz. of 934/1000, d.i. op duizend gram legering 934 gr. zuiver zilver en 66 gr. koper; bij het tweede gehalte of kleine keur is de verhouding 833 gr. zilver op 167 gr. koper. De noodzaak van toezicht op het gehalte is al vroeg ingezien; hiervan getuigen de merken op het zilver, waarvan straks nog sprake zal zijn.

De vormgeving kan op twee manieren plaats hebben n.l. door hameren of door gieten. In het eerste geval wordt het voorwerp gemaakt uit een vlakke plaat, die men door kloppen met een hamer kan laten uitdijen en die zich letterlijk laat drijven tot allerlei standen en vormen. In het tweede geval wordt het gegoten naar een model dat compleet, dus met de reliëfversiering, uit gips, hout of lood wordt vervaardigd en afgedrukt in zand (natuurlijk van zeer vaste samenstelling) waardoor de gietvorm ontstaat. Uit deze vorm komt het gegoten voorwerp in vrij onvolkomen toestand te voorschijn, zodat het een nabehandeling dient te ondergaan.

Versiering wordt aangebracht door drijven of graveren. Drijven is het vormen van reliëf met behulp van hamertjes en ponsen; graveren het inkrassen van ornamenten met een graveernaald.

De nabehandeling, die men elk voorwerp, ook het gehamerde, laat ondergaan, het ciseleren, bestaat uit het verwijderen van oneffenheden, het verscherpen van profielen, het acheveren der ornamenten. Tenslotte volgt nog de bewerking van het glanzend maken, bruneren genoemd.

Een andere vorm van zilver is het draadwerk of filigraan, dat soms als versiering dient en waaruit ook wel het hele voorwerp is opgebouwd. Het draad trekken geschiedt op een trekbank met behulp van een ijzer, waarin gaatjes van verschillende grootte; hierdoor kan de draad steeds dunner worden getrokken.

En nu de voorwerpen zelf.

Uit de middeleeuwen is nagenoeg geen Nederlands zilver over. Enkele kerkelijke stukken worden in onze musea en kerkelijke thesauriën bewaard. Voorwerpen voor liturgisch gebruik uit later tijd worden in de handel wel aangetroffen maar zullen, gezien hun betrekkelijke schaarste, niet apart worden vermeld.

Ook uit de 16e eeuw zult u buiten de musea niet veel stukken aantreffen, maar we willen ze vermelden omdat ze zo mooi zijn en ook omdat de ornamenten van het renaissance-zilver nog diep in de 17e eeuw werden toegepast, zoals acanthusblad, rolwerk, cartouches, maskers, guirlandes en festoenen. Elk onderdeel van het voorwerp heeft zijn eigen ornament, dat dus nooit over het hele stuk doorloopt; elk onderdeel is ook in vorm duidelijk van het andere gescheiden, b.v. van een drinkschaal zijn de voet, de balustervormige stam en de coupe sterk gemarkeerd. Op balusterstam met ronde, wat gewelfde voet, rusten ook de zgn. cocosbekers, waarvan de kelk of cuppa wordt gevormd door een cocosnoot waarop allerlei taferelen van bijbelse of mythologische aard zijn uitgesneden. Ze draagt een gewelfd deksel, door een menselijk figuurtje bekroond. Dan zijn er de nautilusbekers met als cuppa een parelmoeren schelp gemonteerd in al of niet gegraveerd zilver; de schelp is dikwijls ook met graveerwerk versierd. Bijzonder ook zijn de zoutvaten, die er enigszins uitzien als een korte diabolovormige kandelaar, rond of kantig met in het bovenvlak een kleine, ondiepe ronde holling voor het toenmaals kostbare zout. Al deze stukken waren vooral in de 17e eeuw geliefd, en op stillevens uit die tijd kan men ze dikwijls waarnemen. In deze eeuw het meest voorkomend is de eenvoudige kroesvormige beker, die we kennen als avondmaalsbeker en die in kleiner formaat voor gewoon gebruik diende. De decoratie bestaat bijna altijd uit graveerwerk, vooral het zgn. puntwerk, van onderen puntig uitlopende ornamenten; ook vrijere bewerkingen als voorstellingen uit de bijbel komen voor. De uit Groningen afkomstige exemplaren hebben een doornachtige krans boven de voet. Heel bijzonder zijn de molenbekers, voorzien van een molentje waarvan de wieken in beweging kunnen worden gebracht door blazen in een pijpje; de kunst was dan om de beker te ledigen voor de wieken stil stonden. Zeldzaam en daardoor bijzonder kostbaar is het „hansje in de kelder", een drinkschaal op balusterstam, waaruit door een vernuftig mechaniek een figuurtje verschijnt als de schaal wordt gevuld. Zo dronken onze voorouders op de a.s. moeder; een in onze ogen niet zo kies gebruik, maar zij hadden daar plezier in.

En nu we het toch over een blijde gebeurtenis hebben: bij kraamvisites werd gebruik gemaakt van de brandewijnkom die gevuld was met boerenjongens; de bezoekers deden zich tegoed met een zilveren lepel die met de kom herhaaldelijk de ronde deed. Een manier van doen waarvoor wij nu de neus optrekken, maar wie thans in het bezit raakt van zo'n brandewijnkom mag zich gelukkig prijzen. De 17e eeuwse modellen zijn hoog en zes- of achtkantig met horizontale oren en versierd met graveerwerk. Op het einde van de eeuw werden ze lager en ovaal en bestaat de versiering meestal uit drijfwerk. Ook is er een gelobd model met staande oren, veelal afkomstig uit Groningen. Tussen de vroege en de late soort van deze voorwerpen bestaat een aanmerkelijk verschil in prijs, dat verband houdt met de grotere zeldzaamheid van de eerste.

nautilusbeker *drinkschaal* *molenbeker*

Brandewijnkommen met bijbehorende lepels vindt men niet, maar wel lepels apart. Sommige zijn geboortelepels, ten geschenke gegeven bij de komst van een nieuwe wereldburger, en niet zozeer bestemd om te gebruiken; andere zijn gebruikslepels. De vroege dateren uit de eerste decenniën van de 17e, soms nog uit de 16e eeuw. Ze hebben een ronde schep (ook blad of bak genoemd), en een dunne, rechte steel, rond, vier- of zeskantig die bekroningen kan dragen van een eenvoudig knopje tot een fijn bewerkt beeldje, b.v. een apostelfiguurtje. In de loop van de 17e eeuw treft men meer en meer kunstig bewerkte stelen aan met verschillend gevormde onderdelen. In de 18e eeuw, waaruit de meeste geboortelepels dateren, komen voor deze soort gevlochten stelen veelvuldig voor. Er is nu een grote variatie van bekroningen, die met het voortgaan der tijden steeds grover en groter worden, zoals paarden, molens, schepen en melkmeisjes, waarmee tegenwoordig nog de souvenirlepels worden toegerust. Het blad is dan ovaal, en op de bolle zijde staat een opschrift gegraveerd met naam en geboortedatum van de begiftigde. De datum geeft dus ongeveer de ouderdom van het voorwerp aan; de lepel kan natuurlijk wel enige jaren eerder ontstaan zijn dan het inschrift. Gildelepels die dateren uit de 17e en 18e eeuw met emblemen van het betreffende gilde op de achterzijde van het blad, zal men zelden tegenkomen.

Uit de 16e en 17e eeuw zijn ook de gecombineerde lepels en vorkjes, uit de tijd toen tafelgerei nog schaars was en men zijn eigen couvert ter maaltijd meebracht. Bestekken van lepel, vork en mes gestoken in soms kunstig versierde étuis komen trouwens in de 18e eeuw nog voor. Maar dan bestaat er al een uitgebreide keus aan lepels en vorken zoals wij die thans kennen. Omstreeks 1700 worden de stelen breder en plat; het „klassiek" geworden model van de naar boven licht verbrede en afgeronde steel komt sinds 1770 voor. Noemen we nog, uit ongeveer het midden der 18e eeuw de forse (holle) zgn. pistoolheften aan messen en soms ook vorken toegepast, en de uit de eerste helft van de vorige eeuw daterende vioolheften.

Gelegenheidsvoorwerpen waren ook de huwelijkskoffertjes, in Friesland knottekistjes geheten, en de ronde huwelijksdoosjes of knottedoosjes. De eerste zijn kleine koffertjes met bol deksel, waarin een rolletje goudgeld paste; in de doosjes werden de munten op een stapeltje geplaatst. Ze dateren uit de 17e en 18e eeuw. Er zijn er nog vrij veel, een bewijs dat het gebruik om de a.s. bruid een aantal op deze elegante manier verpakte goudstukken aan te bieden, zeer verbreid was. Werd het geschenk aanvaard, dan betekende dit het ja-woord. Dat deze gewoonte een overblijfsel was van de vrouwenkoop bij de Germanen, hebben onze voorouders niet beseft, en wij denken er ook niet aan bij het aanschouwen van deze voorwerpjes, waarvan de versiering uiteraard taferelen vertoont die op het huwelijk betrekking hebben. Zo verfijnd van maaksel zijn ze, dat ze onze begeerte wel moeten wekken; voor een dergelijk pronkstukje is altijd wel plaats. Maar men bereide zich op een financieel offer voor.

Ons nog even bepalend tot de 17e eeuwse stijl: de eerste jaren van deze eeuw brachten een nieuw ornament, dat onder de hamers van meesters als de gebroeders van Vianen en later van Johannes Lutma is geworden tot een waarlijk nationale stijl, met een Nederlands woord, waarvoor geen buitenlands equivalent bestaat: kwabstijl of kwabornament genaamd. Hier zijn vorm en ornament één; een gestolde zilverstroom waarin vissen, zeemonsters, schelpen, koppen, menselijke gedaanten en allerlei grillige vormen zijn gevangen, of die in één barokke vloeiende beweging alleen maar zwellingen en zinkingen vertoont in een grillig ritme. In deze stijl werden de vorstelijke wasbekkens met lampetkannen gemaakt die rond gingen tijdens de maaltijd voor het reinigen van de handen; in deze stijl kennen we zoutvaten, kandelaars en drinkschalen, heerlijk om te bewonderen maar voor een gewone beurs niet om aan te tonen. Minder uitbundig, minder nauw met de vorm verweven, meer als ornament, passen andere zilversmeden de kwab toe, op voorwerpen van allerlei aard; vaak treft men een combinatie aan met menselijke (mythologische) en dierlijke figuren. Al dit soort werk is een vreugde voor het oog, maar een ruïne voor de beurs.

Omstreeks 1660 treedt bloem- en bladdecor op: tulpen en narcissen, rozen en anjers, vaak in combinatie met het aan de Grieken ontleende acanthusblad. Dit ornament komt nagenoeg alleen in reliëf voor zij het in wat minder plastischgezwollen vormen dan de kwab. De voorwerpen die ermee zijn versierd hebben vaak nog een monumentaal karakter als schalen, vazen en kandelaars en andere niet gemakkelijk te verwerven stukken.

Eerst de 18e eeuw brengt een overvloed van minder monumentale voorwerpen van huiselijke aard, als teken van veranderde en meer verfijnde levensomstandigheden. Zo verdwijnt b.v. de lampet ten gevolge van meer geciviliseerde tafelmanieren: het gebruik van de vork maakt handen wassen tijdens de maaltijd overbodig. Men kan nu te kust en te keur gaan bij het kiezen van een stuk tafelzilver, waaronder we, behalve couverts, alle mogelijke scheplepels, brood- en soezenmanden, elegante kandelaars, dekschalen en sauskommen moeten rekenen. Het toenemend gebruik van koffie en thee bracht theepotten en -ketels, kraantjeskannen, melk- en roomkannetjes, theebusjes, presenteerblaadjes, maar wonderlijk genoeg geen suikerpotten of -schaaltjes, die van zilver pas in de Empire-tijd worden aangetroffen. Ook zijn er suikerstrooiers, gelijkend op peperbussen, maar groter. Wel had men de zgn. kandijtafeltjes, dat zijn miniatuurtafeltjes met opklapbaar blad, waarop kandij werd gelegd; ze zijn zeldzaam en niet gemakkelijk te verwerven. En dan zijn er nog de comforen met koperen binnenbakje en houten steel, waarin turf of houtskool gloeide onder de theeketel of kraantjeskan en waaraan tevens de pijpen werden aangestoken; door ons worden ze meestal als asbakjes gebruikt. Tabakspotten zijn er natuurlijk ook, evenals inktstellen en niet te vergeten het aardige kinderspeelgoed, oorspronkelijk niet voor kleine kinderen gemaakt, en dat we onze kleintjes maar liever niet in handen moeten geven, maar veilig wezetten in het snuisterijkastje. Er is bij dit speelgoed heel veel, dat uit de 19e eeuw en zelfs uit de 20e dateert. Goede 18e eeuwse stukken zijn zelfs vrij zeldzaam, en, behalve door de merken (vaak Amsterdam), alleen door hun fraaiere kwaliteit te onderkennen.

Wat vorm en ornament betreft kan men 18e eeuws zilver verdelen in drie soorten:

In het eerste kwart van de 18e eeuw domineert het Louis-XIV ornament, dat, meestal gedreven, wordt toegepast op vrij zware en gelede vormen met zwellende contouren. Het bestaat uit ranken gecombineerd met bandwerk (voluten en gebogen lijnen, afgewisseld door rechte), lambrequins, ruitornamenten met rozetjes; ook knorren, klokbloempjes, acanthusblad komen voor, alles in symmetrische schikking. In deze stijl zijn o.a. vervaardigd de bekende Friese theepotten.

Tegen het midden van de 18e eeuw veranderen de vormen; ze verliezen hun geledingen; alle onderdelen gaan zonder afscheiding in elkander over; de schroeflijn komt in zwang. Het ornament vertoont rocaille en bloemen in asymmetrische schikking; bloemtakjes slingeren zich langs de randen van comforen en broodmanden; bloempjes vormen de dekselknopjes van thee-, koffie- en chocoladekannetjes, die soms op dunne gebogen pootjes staan, en niet zelden een zwierige, gewonden curvelijn of een meloenvorm vertonen. Meer en meer komt ajour-ornament voor langs comfoorranden, aan zoutvaten, die nu van blauw glazen binnenbakjes zijn voorzien, bij olie- en azijnstellen met kristallen flacons.

broodmand Lod.-XV

In het laatste kwart van de 18e eeuw worden de vormen strakker en weer meer in onderdelen geleed. De ovale vorm domineert nu, met strakke profielen, terwijl de versiering in fijn en laag reliëf guirlandes, medaillons, lintornamenten en parelranden vertoont.

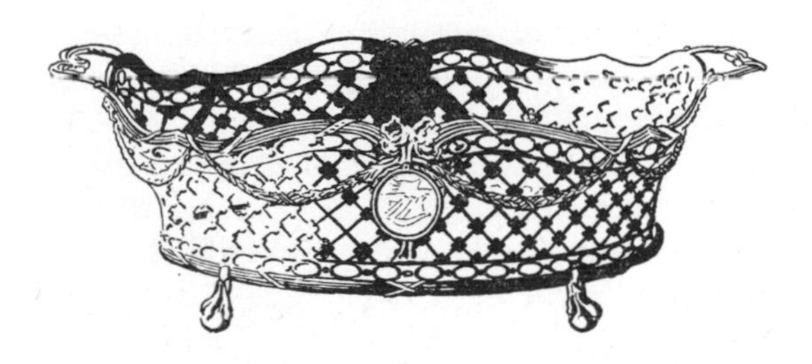

broodmand Lod.-XVI

De Empire-tijd handhaaft de ovale vorm, waarop nagenoeg geen ornament voorkomt; langs de randen loopt soms een smalle band van fijne ribbels. Oren en handvaten zijn vaak rechthoekig gebogen.

De Biedermeier brengt dan wat meer gedrongen en gebombeerde vormen die, althans bij theeserviezen, vaak een vierkant grondplan tonen. De tijd van luxe is dan echter voorbij en gebruikszilver wordt tamelijk schaars. Maar dan komt, ongeveer na 1850, een overvloed van vaak op de 18e eeuw geïnspireerde voorwerpen, waarin veel rococo-ornamenten te herkennen zijn; het graveerwerk toont krullen en bloemen en aan de vaak onrustige vormen met golvende contouren is een neiging tot het tierlantijnachtige soms niet vreemd. Toch zijn ook in die tijd aardige dingen gemaakt, zeker niet om te versmaden. Maar het is wel zaak erop te letten dat men ze niet voor ouder aanziet dan ze zijn. In gevallen van twijfel kunnen de zilvermerken ons op weg helpen om een stuk te dateren.

Op oude stukken zilver komen meestal drie of vier merken voor: het stadsmerk, het meesterteken, de jaarletter en het gehaltemerk. Het stadsmerk is het wapen van de stad, waarin het zilver gekeurd werd. Het behoort tot de oudste keuren, met het meesterteken dat in den beginne bestond uit een huismerk, later uit een sprekend teken, dat betrekking heeft op de naam van de meester, b.v. een haan voor Cornelis de Haan. In een verordening van 1502 werd daarbij nog officieel de jaarletter vereist ter controle van de keurmeester. Deze werd elk jaar door een ander lid van het gilde der zilversmeden vervangen, en de jaarletter gaf dus aan, wie het stuk gekeurd had. Hoe het mogelijk is geweest om met ten hoogste 26 letters een reeks van enkele honderden jaren aan te geven? Na afloop van het alfabet werd opnieuw bij de A begonnen. En nu vraagt u zich natuurlijk af, of deze jaarletters ons helpen bij de datering van een stuk. Soms, maar niet altijd. Het is vaak heel moeilijk om, vóór de 19e eeuw, de verschillende alfabetten te onderscheiden. Ook bestaan er allerlei plaatselijke verschillen en kwamen er wel onregelmatigheden voor en bovendien heeft het alfabet niet in alle tijden uit 26 letters

boven: Fries zilver: theepot 1709 en theebusjes v.l.n.r. 1727, 1756. midden: zilveren theegoed: trekpot, Biedermeier theeketel op komfoor, 1760 — theepot, Empire. onder: zilveren brandewijnkommen, v.l.n.r. 17e eeuw, 1683, 1704, 1738.

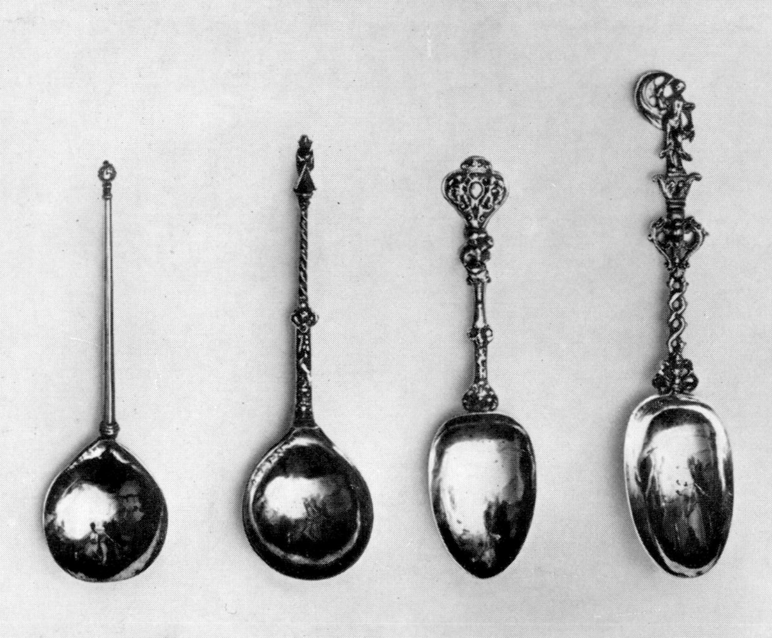

boven: zilveren lepel, midden 18e eeuw, zilveren vork, 2e helft 18e eeuw, zilveren gemberlepel en -vork, midden 19e eeuw. onder: zilveren lepels: met rond blad 17e eeuw; met ovaal blad 18e eeuw.

boven: messen met zilveren heft: pistoolheft, 1e helft 18e eeuw — St. Joris en de draak, 18e eeuw — gedreven heft 18e eeuw. onder: tafelzilver: zoutvat, Lod.-XV, mosterdpot 1685 — zoutvat 17e eeuw.

kraantjeskannen: l.b. zilver, 1723. r.b. tin, gegraveerd, 1767. l.o. koper, einde 18e eeuw, r.o. gelakt tin, Empire.

bestaan. Vele, zo niet de meeste problemen zijn echter uitgemaakt door de zilversmid wijlen Elias Voet Jr., die in vier lijvige boekdelen, respectievelijk over de Amsterdamse, de Friese, de Haagse en de Haarlemse zilversmeden alles onthult over de jaarletters, de meestertekens, en nog vele andere zaken, die betrekking hebben op het zilver van genoemde herkomst. Hier en daar beginnen deze werken evenwel al wat verouderd te geraken. U behoeft ze niet altijd bij de hand te hebben; ze zijn in elke goede openbare bibliotheek te consulteren. Voor buitenlandse merken is er het boek van M. Rosenberg „Der goldschmiede Merckzeichen". Wanneer men een merk wil controleren, kan het gemakkelijk met de achterkant van een potlood op een stukje papier worden afgedrukt en daarna kan men trachten het op te zoeken. Natuurlijk kunt u voorlichting krijgen van de zilversmid of antiquair of, in bijzondere interessante gevallen, van een museumdeskundige, terwijl u daarvoor ook kunt aankloppen bij de vereniging voor zilverstudie „Elias Voet". Als vierde merkteken kwam in de 17e eeuw nog het gehaltemerk. Voor Holland en Zeeland was dit het provinciewapen, in 1663 ingevoerd. In 1695 werd het voor Friesland het Friese wapen: twee liggende leeuwen boven elkaar; in Utrecht sloeg men na 1712 twee-

meesterteken: Nicolaas Radijs; stadsmerk: Den Haag; gehaltemerk: Holland; jaarletter: S (1764)

maal het stadswapen. Al deze merken golden voor de grote keur en waren dus waarborg voor eerste gehalte. In de Franse tijd krijgt men Franse tekens; na het jaar van de herkregen onafhankelijkheid vallen de plaatselijke merken weg en worden de gehaltemerken voor de grote keur de klimmende, voor de kleine keur de lopende leeuw, waaraan respectievelijk een 1 en een 2 zijn toegevoegd. De jaarletters worden voor het gehele land gelijk en de alfabetten krijgen na hun afloop telkens een nieuw lettertype, zodat na 1813 ontstane stukken nauwkeurig kunnen worden gedateerd. Men raadplege hiervoor de zgn. „Kleine Voet", het boekje „Nederlandse goud- en zilvermerken" door Elias Voet Jr. waarvan de 2e druk uit 1953 is. U zult daarin zien, dat in de vorige eeuw vaak het gothisch letterteken gebruikt is; dit duidt dus volstrekt niet op hoge ouderdom van een stuk! Ook de stadsmerken van alle steden, zoals die zich op oud en nieuw zilver voordoen, staan in dit boekje afgebeeld. Wat u er niet in vinden zult zijn meestertekens, die wel in stand bleven. Mocht u zich veel met zilver willen bezig houden, dan wordt u aangeraden dit boekje te kopen.

Niet een merk is de geribde groef die wel eens op zilver voorkomt; dit is de proefsteek: met een beiteltje is een kleine hoeveelheid metaal uitgestoken om op gehalte te worden onderzocht. Het is niet altijd even gemakkelijk de merken op een voorwerp te vinden: ze staan nogal eens op een verborgen plekje; ook zijn ze klein, en met het blote oog vaak niet te lezen. Dus met een loupe erop af. Er zijn ook verslagen, d.w.z. onduidelijke, en — helaas — ook valse merken. Het is dus wel zaak in twijfelgevallen een deskundige te raadplegen.

Een enkel woord nog over het onderhoud van zilver. Het is, zoals reeds gezegd, een edel metaal en het oxydeert dus niet, maar het krijgt gauw een donkere aanslag. Willen wij de glans van koper of tin wel eens graag door een patien gesluierd zien, bij zilver is dit uit de boze. Het enige wat hier tegen is te doen, is te zorgen dat het zilver zo weinig mogelijk in aanraking komt met door dampen verontreinigde (stads-) lucht. Dus weg zetten in een goed sluitende glazenkast. Lepels en vorken e.d. bergt men het beste op in een flanellen doekje gewikkeld. Is er toch aanslag, dan poetsen met een zacht middel en een zachte doek, maar antiek zilver moet zo weinig mogelijk gepoetst worden, omdat versiering en merken daarvan te veel slijten en het gevaar niet denkbeeldig is, dat tenslotte het voorwerp wordt doorgepoetst. Het zgn. politoeren, dat is het aanbrengen van een onzichtbaar laklaagje op het stuk, vormt een afdoende bescherming en maakt poetsen overbodig; maar dan moet het goed gebeuren en daar ontbreekt het nogal eens aan. Al met al is dus ook voor dit soort voorwerpen zorg geboden. En wie zou die er niet graag voor over hebben?

Wilt u nu nog wat over zilver lezen, neemt u dan het in de Heemschut-serie verschenen boekje van C. J. Hudig, „Zilver van de Nederlandse edelsmid" (1951), of het uitgebreidere werk door M. H. Gans en Th. M. Duyvené de Wit-Klinkhamer, De geschiedenis van het Nederlandse zilver (1958).

INHOUD DEEL I

pag.
Wat is antiek? 5
KENT U UW STIJLEN? 9
Gothiek 11
Renaissance 12
Barok 15
Lodewijk-XIV 16
Lodewijk-XV 18
Lodewijk-XVI 18
Empire 19
Biedermeier 20
Neo-stijlen 21
MEUBELS 24
Enkele veel gebezigde termen 25
Gothiek en 16e eeuw 25
17e, 18e en 19e eeuw 26
Kisten 27
Kasten 28
Vier- en Tweedeurskasten 28
Kasten op onderstel 31
Buffetten 36
Tafels 36
Kleine tafeltjes 39
Wandtafels 40
Stoelen 42
Zitbanken 49
Rustieke meubels 51
Aanschaf en onderhoud 53
BRUILOFTSGESCHENKEN 57
De tinnen bruiloft 57
De koperen bruiloft 66
De zilveren bruiloft 79